D0784691

Dieses Taschenbuch enthält in spanisch-deutschem Paralleldruck kurze Prosatexte von 32 modernen Autoren aus Spanien und Spanisch Amerika. Von manchen nur einen, von vielen zwei oder mehr, insgesamt 74. Die kürzesten sind wenige Zeilen lang, die längsten zwei Seiten. Einige sind kurze Kurzgeschichten im engeren Sinn: mit spannender Handlung und ordentlicher Pointe. Andere sind cher so etwas wie Momentaufnahmen, Szenenbilder, Stillleben. Einige sind bloß Pointen. Einige sind Prosagedichte à la Baudelaire, andere sind Dialoge à la Valentin. Einige sind behäbig anekdotisch, andere sind pathetisch. Einige sind romantisch, andere sind aufklärerisch. Einige sind hübsches Feuilleton, andere sind hochkarätige tiefgründige Lebens-Parabeln. Einige machen ihre Leser traurig, andere erheben, ja beflügeln sie ...

Und alle zusammen sind ein wunderbares kunterbuntes spanisches Welttheater.

dtv zweisprachig · Edition Langewiesche-Brandt

Cuentos brevísimos
Spanische Kürzestgeschichten

Herausgegeben und übersetzt
von Erna Brandenberger

Deutscher Taschenbuch Verlag

Deutsche Erstausgabe
1. Auflage August 1994
Quellenangaben Seite 153 ff.
Rechte an der Übersetzung
Deutscher Taschenbuch Verlag GmbH & Co. KG, München
Umschlagentwurf: Celestino Piatti
Satz: FoCoTex Klaus Nowak, Berg bei Starnberg
Gesamtherstellung: Kösel, Kempten
ISBN 3-423-09320-x. Printed in Germany

Inhalt

Contemplo el Marañón, admirando su corriente
poderosa, y pienso que el gran río podría hablar-
nos de Tungurbao. Veo el cerro Lluribe, apenas
columbro su frente de roca perdida entre las nubes, y sé que también nos diría de Tungurbao.
Esas piedras de Chacratok, con las cuales labró su
casa, serían igualmente capaces de contarnos de
Tungurbao. Las peñas, los árboles, los senderos,
las yerbas, los aromas, cada grumo de la tierra,
saben de Tungurbao.

Las nubes que se levantan después de la lluvia,
darían razón de Tungurbao, de veras. Lo mismo
el cielo limpio, que es espejo de la tierra, y el sol
que alumbra toda cosa. La oscuridad de la noche
vio pasar a Tungurbao con sus ojos de negro
pedernal. También la luna, dueña de la claridad
que pelea con la sombra. El aire quieto o hecho
viento, llevó la música de la flauta de oro de
Tungurbao.

Los animales mansos y salvajes, saben de Tungurbao a tal punto que digo salvajes por decir.
Tungurbao los apacigua con su sola presencia. El
puma cauteloso, el cóndor de alto volar, el oso de
las quebradas, la víbora de salto traicionero, el
colibrí posado en el aire y aun el insecto que es
chispa o zumbido fugaz, eran amigos de Tungurbao.

Todos los seres y las cosas de los cuales creemos
que no hablan, podrían contarnos la historia de
Tungurbao, de manera cierta y sabia. Pero no ati-
namos a entender cuanto dicen con sus rugidos,
gritos, cantos y silbos, ruidos y rumores. Menos
aún lo que dicen con su silencio.

Para conocer la historia de Tungurbao, debemos

Ciro Alegría
Die Sage vom Tungurbao im Amazonasurwald

Ich betrachte bewundernd den gewaltigen Strom des Marañon, und ich glaube, dieser mächtige Fluß könnte uns
von Tungurbao erzählen. Ich sehe den Lluribe-Gipfel und
kann kaum seine wolkenverhangene Stirn erkennen, aber
ich weiß, daß auch er von Tungurbao erzählen könnte.
Die Steine von Chacratok, mit denen er sein Haus baute,
wären ebenfalls imstande, uns von Tungurbao zu erzählen.
Die Felsen, die Bäume, die Pfade, das Gras, die Gerüche,
jede Krume Erde weiß etwas von Tungurbao.

Die Wolken, die nach dem Regen aufsteigen, könnten
Auskunft geben über Tungurbao, sicher. Ebenso der klare
Himmel, der ein Spiegel der Erde ist, und die Sonne, die
jedes Ding beleuchtet. Das Dunkel der Nacht hat Tungurbao verbeigehen sehen mit seinen Augen aus schwarzem
Gestein. Auch der Mond, der über das Licht gebietet und
mit dem Schatten kämpft. Die stille Luft oder die wind-
bewegte haben die Melodie aus der goldenen Flöte Tungur-
baos weitergetragen.

Die zahmen und die wilden Tiere wissen über Tungurbao so gut Bescheid, daß ich «wild» nur so aus Gedanken-
losigkeit sage. Tungurbao besänftigt sie allein durch sein
Vorhandensein. Der mißtrauische Puma, der Kondor hoch
in den Lüften, der Bär in den Schluchten, die Viper mit
dem heimtückischen Angriff, der starr in der Luft schwir-
rende Kolibri und sogar das Insekt, das nur ein flüchtiges
Aufblitzen oder Brummen ist, alle waren mit Tungurbao
befreundet.

Alle Wesen und alle Dinge, von denen wir meinen, daß
sie nicht reden, könnten uns die Geschichte von Tungurbao
richtig und klug erzählen. Aber wir bekommen nicht heraus, was sie uns mit ihrem Brüllen, Schreien, Singen und
Pfeifen, mit ihrem Geraune und Gelispel sagen wollen.
Noch weniger erfahren wir aus ihrem Schweigen.

Um die Geschichte von Tungurbao kennen zu lernen,

atenernos, pues, a las palabres de los hombres, que no son siempre exactas ni prudentes.

Es así como hay muchas historias de Tungurbao que los hombres repiten a pedazos y sin concierto. Unos creen que Tungurbao era un genio del bien y otros que del mal. Los más le llaman el hombre misterioso de Chacratok. Todos aceptan que era un extraño encantador.

Oyendo contar de Tungurbao, cuando las gentes hablan por gusto, preguntando de propósito, quedándome en la ignorancia de mucho y conociendo hasta pasmarme o llorar, yo he logrado juntar hartas historias de Tungurbao. Quién sabe, para contarlas enteras tanto como se pueda ...

En noches así enlunadas crecen los pensamientos y la mente suele soltarse. Yo hablo de Tungurbao con el esmero del que rema en aguas torrentosas.

Miren el sendero de oro que une la luna al Marañón ... El Lluribe se ha limpiado las nubes de la frente ... Oigan cómo llega el viento y parla en los árboles ... Si serán señales de Tungurbao ... que él me ayude a contar ...

Eugenio Aguirre
En el estanque

Al pasar frente al estanque de aguas cristalinas, el príncipe Sun-Kai-Sen advirtió el cuerpo inerte de un pez rojo flotando sobre la superficie.

Su corazón sufrió un angustioso sobresalto y, enseguida, puso el grito en el cielo.

– ¿Quién ha osado cometer la barbaridad de matar a uno de mis peces? – rugió cuando estuvo rodeado de sus innumerables cortesanos.

El silencio le respondió con la vileza de una

müssen wir uns also an die Worte der Menschen halten, und die sind nicht immer genau und nicht immer gescheit.

Darum gibt es viele Geschichten von Tungurbao, die sich die Leute bruchstückweise und ohne Zusammenhang weitererzählen. Einige meinen, Tungurbao sei ein guter Geist, andere, er sei ein böser. Die meisten nennen ihn den geheimnisvollen Mann von Chacratok. Alle stimmen überein, daß er ein besonderer Zauberer war.

Wenn ich von Tungurbao erzählen höre, wenn die Leute von sich aus reden, stelle ich gezielte Fragen. Vieles bleibt mir verborgen, aber vieles erfahre ich, was mich erstarren läßt oder zum Weinen bringt – und so habe ich eine Menge Geschichten von Tungurbao zusammengetragen. Wer weiß, um sie ganz zu erzählen, soweit es überhaupt möglich ist ...

In solchen Mondnächten weiten sich die Gedanken, und der Geist bekommt Flügel. Ich rede von Tungurbao so sorgfältig, wie man in wildem Gewässer rudert.

Schaut die Silberspur an, die den Mond mit dem Marañon verbindet ... Der Lluribe hat sich die Wolken von der Stirn gewischt ... Hört, wie der Wind aufkommt und in den Bäumen flüstert ... Wenn es Zeichen sind, daß Tungurbao da ist ... dann soll er mir erzählen helfen ...

Eugenio Aguirre
Am Teich

Als der Fürst Sun-Kai-Sen am Teich mit dem kristallklaren Wasser vorbeikam, sah er, daß ein Goldfisch leblos an der Oberfläche dahintrieb.

Sein Herz krampfte sich zusammen vor Schmerz, und er konnte vor Zorn nicht mehr an sich halten.

«Wer hat die grausige Untat wagen können, mir einen Fisch zu ermorden?» donnerte er in den Umkreis seiner Höflinge hinein.

Schweigen antwortete ihm wie eine niederträchtig zu-

serpiente agazapada y le pintó el rostro con la afloración de la cólera.

– ¿Quién? – volvió a bramar, desenfundando la espada.

Los súbditos se arrodillaron dispuestos a morir, sin proferir palabra, para satisfacer las fauces de la ira de su señor. Las mujeres se cubrieron con velos negros y echaron a correr rumbo al palacio.

La espadda bajó una y otra vez, y así continuó haciéndolo hasta llegar a desgajar cincuenta nobles cabezas. Entonces el príncipe se detuvo y sentenció: Cincuenta vidas vale la existencia de uno de mis sagrados peces. Esa será la tasa de hoy en adelante.

Al día siguiente, después de pasar toda la noche escuchando las lamentaciones y los cantos funerarios de sus súbditos, el príncipe bajó a sus inmensos jardines y se dirigió als estanque con la intención de enfrascarse en la contemplación de sus peces; mas lo que ahí vio lo sumergió para siempre en los intrincados laberintos de la locura.

En el estanque flotaban las cabezas de todos los miembros de su corte y en la orilla lo esperaban los peces de escamas color grana para que dictara su sentencia.

Enrique Anderson Imbert
Siesta

Siesta de verano, en Tucumán. No puedo dormir. Dejo las sábanas empapadas de sudor y me arrimo al balcón. Inútil: ni una brisa. Espío por una hendija de la persiana. La calle, desierta, es un horno. En eso veo que de dos casas contiguas salen un muchacho y una muchacha.

El tema de Píramo y Tisbe: sin duda se han su-

sammengerollte Schlange, und der Zorn stieg ihm ins Gesicht.

«Wer?» brüllte er wieder und zog das Schwert aus der Scheide.

Die Untertanen knieten nieder, bereit, wortlos zu sterben, um den Feuerrachen des herrscherlichen Zorns zu kühlen. Die Frauen verhüllten sich mit schwarzen Schleiern und flohen zum Palast.

Das Schwert fuhr nieder – eins über das andere Mal, und das ging so lange, bis fünfzig adlige Häupter im Staub lagen.

Dann hielt der Fürst inne und bestimmte: «Fünfzig Leben kostet einer meiner heiligen Fische. Das ist von heute an die Gebühr.»

Nachdem der Fürst die ganze Nacht hindurch das Wehklagen und die Trauergesänge seiner Untertanen gehört hatte, spazierte er am anderen Morgen durch seine unendlich weitläufigen Gärten zum Teich hin, in der Absicht, sich am Anblick seiner Fische zu erlaben. Aber was er dort sah, stürzte ihn für immer in das tückische Labyrinth ausweglosen Wahnsinns.

Im Wasser schwammen die Köpfe seiner sämtlichen Höflinge, und am Ufer lagen die Fische mit den rotglänzenden Schuppen und warteten darauf, daß er sein Urteil fälle.

Enrique Anderson Imbert
Siesta

Sommer-Siesta in Tucumán. Ich kann nicht schlafen. Ich stehe von den schweißnassen Bettüchern auf und gehe zum Balkon. Zwecklos: kein Lufthauch. Ich spähe durch eine Ritze im Fensterladen. Die Straße ist menschenleer, ein Backofen. Nun sehe ich, daß aus zwei aneinandergebauten Häusern ein Jüngling und ein Mädchen herauskommen.

Das Thema von Pyramus und Thisbe: sicher haben sie

surrado frases de amor por un agujero de la pared y se han puesto de acuerdo para juntar los cuerpos.

Se abrazan y se besan. Ni siquiera han mirado a su alrededor. No hay alrededor: todo es centro al que sus vidas convergen urgentemente. Olvidados del mundo, se encierran en un hueco secreto. Están en la vía pública, pero en el tórrido Tucumán, en una siesta de verano, la vía pública es un rincón íntimo y solitario. El aire que se ha detenido entre árboles, casas, nubes y veredas es un aire de alcoba.

Dentro de su burbuja transparente el muchacho y la muchacha se entreabren las ropas y se acarician.

No aguanto más y les chisto: chistido de serpiente.

Al oírlo, los novios separan las cabezas, me buscan con las miradas y al fin descubren la persiana desde donde los estoy espiando.

El teatro sigue siendo teatro, pero se han trocado las funciones. Ellos eran los actores que pisaban las tablas de un escenario con decorados de paraíso. Ahora, los ojos fijos en mi balcón, son espectadores; y yo, avergonzado, represento mi papel de moralista.

Juan José Arreola
Autrui

Lunes. Sigue la persecución sistemática de ese desconocido. Creo que se llama Autrui. No sé cuándo empezó a encarcelarme. Desde el principio de mi vida tal vez, sin que yo me diera cuenta. Tanto peor.

Martes. Caminaba hoy tranquilamente por calles y plazas. Noté de pronto que mis pasos se

sich durch ein Loch in der Wand Liebesworte zugeflüstert und nun ein Stelldichein verabredet.

Sie umarmen und küssen sich. Sie haben sich nicht einmal umgeschaut. Es gibt keine Umgebung für sie. Alles ist Mitte, zu der ihre Leben eiligst hinstreben. Die Welt rundum ist vergessen, sie sind in ihrem Geheimnis wie in einer Höhle eingeschlossen. Sie stehen auf der öffentlichen Straße, aber an diesem glühendheißen Nachmittag in Tucumán ist die öffentliche Straße ein traulicher einsamer Winkel. Die Luft zwischen Bäumen, Häusern, Wolken und Wegen ist ruhig wie Schlafzimmerluft.

Drinnen in ihrer durchsichtigen Seifenblase knöpfen der Jüngling und das Mädchen sich gegenseitig die Kleider auf und streicheln einander.

Ich halte es nicht mehr aus und zische ihnen zu. Schlangengezisch.

Die Köpfe der Liebenden fahren auseinander, als sie es hören; sie suchen mich mit ihren Blicken und entdecken schließlich den Fensterladen, von wo aus ich spähe.

Das Theater bleibt weiterhin Theater, aber nun sind die Rollen vertauscht. Bis jetzt waren sie die Schauspieler gewesen, die auf der paradiesisch ausgestatteten Bühne standen. Jetzt haben sie ihre Augen fest auf mein Balkonfenster geheftet und sind die Zuschauer. Und ich spiele beschämt die Rolle des Moral-Onkels.

Juan José Arreola
Autrui

Montag. Die gezielte Verfolgung durch den Unbekannten dauert an. Ich glaube, er heißt Autrui. Ich weiß nicht, wann er mit seiner Einkesselung anfing. Vielleicht seit Anbeginn meines Lebens, ohne daß ich es merkte. Umso schlimmer.

Dienstag. Ich spazierte heute in aller Ruhe durch Gassen und über Plätze. Auf einmal merkte ich, daß mich meine

dirigían a lugares desacostumbrados. Las calles parecían organizarse en laberinto, bajo los designios de Autrui. Al final, me hallé en un callejón sin salida.

Miércoles. Mi vida está limitada en estrecha zona, dentro de un barrio mezquino. Inútil aventurarse más lejos. Autrui me aguarda en todas las esquinas, dispuesto a bloquearme las grandes avenidas.

Jueves. De un momento a otro temo hallarme frente a frente y a solas con el enemigo. Encerrado en mi cuarto, ya para echarme en la cama, siento que me desnudo bajo la mirada de Autrui.

Viernes. Pasé todo el día en casa, incapaz de la menor actividad. Por la noche surgió a mi alrededor una tenue circunvalación. Cierta especie de anillo, apenas más peligroso que un aro de barril.

Sábado. Ahora desperté dentro de un cartucho hexagonal, no mayor que mi cuerpo. Sin atreverme a atacar los muros, presentí que detrás de ellos nuevos hexágonos me aguardan. – Indudablemente, mi confinación es obra de Autrui.

Domingo. Empotrado en mi celda, entro lentamente en descomposición. Segrego un líquido espeso, amarillento, de engañosos reflejos. A nadie aconsejo que me tome por miel ...

A nadie, naturalmente, salvo al propio Autrui.

Juan José Arreola
Una de dos

Yo también he luchado con el ángel. Desdichadamente para mí, el ángel era un personaje fuerte, maduro y repulsivo, con bata de boxeador.

Poco antes habíamos estado vomitando, cada uno por su lado, en el cuarto de baño. Porque el

Schritte an ungewohnte Orte lenkten. Die Straßen schienen sich nach Autruis Anordnung zu Labyrinthen zu gestalten. Letzten Endes befand ich mich in einer Sackgasse.

Mittwoch. Mein Leben ist auf eine enge Zone in einem schäbigen Stadtviertel begrenzt. Nutzlos, mich weiter vorzuwagen. Autrui lauert an allen Ecken auf, entschlossen, mir die großen Ausfallstraßen zu versperren.

Donnerstag. Von Minute zu Minute fürchte ich, mich Auge in Auge allein meinem Feind gegenüber zu sehen. Eingeschlossen in meinem Zimmer, spüre ich sogar beim Zubettgehen, daß mir Autrui beim Auskleiden zuschaut.

Freitag. Den ganzen Tag habe ich zu Hause verbracht, außerstande, irgend etwas zu unternehmen. In der Nacht bildete sich um mich herum eine kaum wahrnehmbare Schranke, eine Art Ring, kaum gefährlicher als ein Faßreif.

Samstag. Jetzt erwachte ich in einer sechseckigen Hülse, nicht größer als mein Körper. Ohne daß ich mich gegen die Wände zu stemmen wagte, ahnte ich, daß darum herum weitere sechseckige Hülsen mich umfingen. – Ohne Zweifel ist meine Verwahrung Autruis Werk.

Sonntag. Eingesperrt in meiner Zelle fange ich langsam an zu verwesen. Ich sondere eine dicke gelbliche Flüssigkeit mit verführerischem Glanz ab. Niemandem rate ich, mich für Honig zu halten ...

Niemandem, ausgenommen natürlich Autrui selbst.

Juan José Arreola
Entweder, oder

Auch ich habe mit dem Engel gekämpft. Zu meinem Unglück war der Engel eine starke, reife und abstoßende Person in einem Boxermantel.

Kurz zuvor hatten wir – jeder in seiner Ecke – uns in der Toilette übergeben müssen. Denn das Bankett, eher

banquete, más bien la juerga, fue de lo peor. En casa me esperaba la familia: un pasado remoto.

Inmediatamente después de su proposición, el hombre comenzó a estrangularme de modo decisivo. La lucha, más bien la defensa, se desarrolló para mí como un rápido y múltiple análisis reflexivo. Calculé en un instante todas las posibilidades de pérdida y salvación, apostando a vida o sueño, dividiéndome entre ceder y morir, aplazando el resultado de aquella operación metafísica y muscular.

Me desaté por fin de la pesadilla como el ilusionista que deshace sus ligaduras de momia y sale del cofre blindado. Pero llevo todavía en el cuello las huellas mortales que me dejaron las manos de mi rival. Y en la conciencia, la certidumbre de que sólo disfruto una tregua, el remordimiento de haber ganado un episodio banal en la batalla irremisiblemente perdida.

Max Aub
Muerte

La ventana se abre sobre tejados y chimeneas. La buhardilla es estrecha, el menaje pobre, alegre, gustoso. La mujer juega con su marido, ríe, se desliza, le quiebra. El hombre la cerca, la busca impaciente. Ella, de un salto, se encarama y sienta sobre el barandal del balcón del séptimo piso, las manos bien cogidas al hierro horizontal, las posaderas un tanto salidas hacia afuera. La falda negra, las medias pajizas. Se dobla hacia adelante, riendo. Las faldas se le sobresuben hasta las rodillas descubriendo una liga verde. De pronto, le giran las muñecas, se desfonda, cae ha-

ein Gelage, war von der schlimmsten Sorte gewesen. Zu Hause erwartete mich die Familie. Weit zurückliegende Vergangenheit.

Unmittelbar nach der Ankündigung fing der Mann an, mich ernsthaft zu würgen. Der Kampf, eher die Verteidigung, entwickelte sich wie eine rasche vielschichtige gedankliche Überprüfung meiner Lage. In einem Augenblick rechnete ich mir alle Möglichkeiten der Niederlage und Rettung aus, wettete auf Erleben oder Traum, fühlte mich gespalten zwischen Nachgeben und Sterben, wartete das Ergebnis dieser geistigen und körperlichen Vorgänge ab.

Schließlich riß ich mich aus der Bedrängnis los, wie ein Zirkuskünstler seine Mumienbinden abstreift und aus einer verschlossenen Truhe heraussteigt. Aber am Hals sind immer noch die tödlichen Spuren, welche die Hände meines Gegners hinterlassen haben. Ich lebe in der Gewißheit, daß ich nur einen Aufschub genieße, und mit der Bitternis, ein nichtssagendes Scharmützel in einer unabwendbar verlorenen Schlacht gewonnen zu haben.

Max Aub
Tod

Aus dem Fenster sieht man über die Dächer und Kamine. Das abgeschrägte Kämmerchen ist eng, die Einrichtung ärmlich, lustig, gefällig. Die Frau spielt mit ihrem Gemahl, lacht, entschlüpft ihm, hält ihn zum Narren. Der Mann stellt ihr nach, sucht sie ungeduldig. Plötzlich setzt sie sich mit einem Sprung auf das Geländer des Balkonfensters im siebten Stock und hält sich mit beiden Händen an der waagrechten Eisenstange fest, ihr Gesäß hängt ein wenig über das Geländer hinaus. Schwarzer Rock, strohgelbe Strümpfe. Sie beugt sich vornüber und lacht. Der Rock rutscht ihr bis über die Knie hinauf, und man sieht das grüne Strumpfband. Auf einmal drehen sich die Handge-

cia atrás horriblemente desfigurada, se hunde. El hombre se precipita hacia el balcón. La mujer va cayendo en el vacío, sólo se ven las faldas negras, las piernas claras circundadas, más allá de las corvas, por las ligas verdes. El hombre la ve caer, la ve inmóvilmente caer; la ve caer para toda la vida. La ve llegar al suelo y quedarse allí abajo igual que caía por el aire: la falda negra, las medias pajizas, las ligas verdes. Un instante cree que sueña, que ella se va a levantar, que no ha pasado nada; va a gritar. De repente piensa que, si lo hace, creerán que fueron él o ella: crimen o suicidio. Seguramente se va a levantar. No pasa nadie por la calle. De pronto, de la acera que no ve, surge un hombre que coge a la mujer por los sobacos y la arrastra. Queda una mancha roja, oscura, brillante, enorme. El hombre, el nuestro, baja hundiéndose, cayendo escaleras abajo, de un golpe.

Max Aub
El monte

Cuando Juan salió al campo, aquella mañana tranquila, la montaña ya no estaba. La llanura se abría nueva, magnífica, enorme, bajo el sol naciente, dorada.

Allí, de memoria de hombre, siempre hubo un monte, cónico, peludo, sucio, terroso, grande, inútil, feo. Ahora, al amanecer, había desaparecido.

Le pareció bien a Juan. Por fin había sucedido algo que valía la pena, de acuerdo con sus ideas.

— Ya te decía yo — le dijo a su mujer.

— Pues es verdad. Así podremos ir más deprisa a casa de mi hermana.

lenke, sie verliert den Halt, fällt mit Schrecken und Entsetzen im Gesicht hintenüber und stürzt ins Leere. Der
Mann eilt zum Balkon. Die Frau fällt ins Leere, man sieht
nur den schwarzen Rock, die hellen Beine und über den
Knien die grünen Strumpfbänder. Der Mann sieht sie fallen, sieht sie unbeweglich fallen, sieht sie das ganze Leben
lang fallen. Er sieht sie auf dem Boden aufschlagen und in
genau gleicher Stellung wie in der Luft daliegen: schwarzer
Rock, strohgelbe Strümpfe, grüne Strumpfbänder. Einen
Augenblick glaubt er zu träumen, meint, sie werde aufstehen, als wäre nichts geschehen. Er möchte schreien. Da
fällt ihm ein, wenn er das täte, müßte man annehmen, er
oder sie seien es gewesen: Verbrechen oder Selbstmord.
Gewiß wird sie aufstehen. Kein Fußgänger ist unten auf
der Straße. Da taucht auf dem Gehsteig, den er nicht sieht,
ein Mann auf, der die Frau an den Achseln wegzieht.
Übrig bleibt eine dunkelrot glänzende riesige Blutlache.
Der Mann, unser Mann, stürzt zur Treppe, schlägt hin und
fällt hinunter.

Max Aub
Der Berg

Als Juan an jenem stillen Morgen aufs Feld hinausging,
war der Berg nicht mehr da. Die Ebene öffnete sich ganz
neu, herrlich weit, riesengroß, golden unter der aufgehen-
den Sonne.

Seit Menschengedenken war dort immer ein Berg gewesen: ein kegelförmiger, dicht überwachsener, erdig
schmutziger, großer, unnützer, häßlicher Berg. Jetzt, beim
Morgengrauen, war er weg.

Das gefiel Juan. Endlich war etwas geschehen, was der
Rede wert war, etwas, das seinen Wünschen entsprach.

«Ich habe es dir ja gesagt», sagte er zu seiner Frau.

«Nun, es ist wahr. So kommen wir schneller zu meiner
Schwester.»

He visitado hoy el museo oriental de esta University of Chicago que voy a dejar, quizá para siempre, dentro de tres semanas. En los seis o siete años que he estado aquí, quién sabe la de veces que no habré pasado ante la puerta del museo, sin entrar nunca. Pero ahora me voy de Chicago, quizá para siempre, y he querido verlo antes de irme.

Es pequeño el museo, y es excelente; bien merece su fama. Hay en él cosas asirias, egipcias. Lo recorro, me demoro frente a las vitrinas, admiro joyas, estatuas. Y por último, me detengo junto a la momia desnuda de una mujer. Delante de ella me he quedado muy largo rato, contemplándola. Sus pies, tan chiquitos. Esas manos suyas, juntas, abajo, entre los muslos. Sus pómulos. La cabeza, de forma bellísima. Los dientes, que relucen de blancos, los de abajo, los de arriba, y entre ambas hileras, la lengua. Sus hombros estrechos, la clavícula ... No puedo dejar de contemplar el cuerpo de esta mujer que vivió hace veintisiete siglos. Una ternura muy honda me inunda, una absurda ternura. Veintisiete siglos hace vivió esta mujer, y yo ahora siento ante su cuerpo una emoción, una pena, como si me encontrara de pronto en presencia de alguien que acaba de morirse en plena juventud. No es reverencia lo que siento, no es respeto arqueológico, ni temor, ni nada por el estilo: es una ternura insensata que casi me lleva al borde de las lágrimas. (Hablar de un misterioso reencuentro a través de los tiempos sonaría a literatura, bien lo sé. Basta, pues.)

Antes de retirarme, todavía echo una mirada última a la cabeza perfecta, al delgadísimo cuello.

Francisco Ayala
Ohne Literatur

Heute habe ich das Museum für Orientalische Kunst der Universität Chicago besucht, die ich in drei Wochen verlassen werde, vielleicht für immer. In den sechs oder sieben Jahren, die ich hier verbracht habe – wer weiß, wieviele Male ich an der Museumstür vorbeigegangen bin, ohne jemals hineinzugehen. Aber jetzt verlasse ich Chicago, vielleicht für immer, und da wollte ich das Museum noch sehen.

Es ist klein, aber hervorragend; es verdient seinen Ruf wohl. Es gibt da Ausstellungsgegenstände aus Assyrien und aus Ägypten. Ich mache einen Rundgang, bleibe vor den Vitrinen stehen, bewundere Schmuckstücke, Statuen. Zuletzt verweile ich vor einer nackten Frauenmumie. Lange Zeit bin ich vor ihr stehen geblieben, habe sie betrachtet. Ihre winzig kleinen Füße. Ihre aneinandergelegten Hände, unten, zwischen den Schenkeln. Ihre Wangen. Ihren wunderschön geformten Kopf. Ihre leuchtend weißen Zähne, die unteren, die oberen, und zwischen beiden Reihen die Zunge. Ihre schmalen Schultern, ihr Schlüsselbein ... Ich kann mich nicht satt sehen am Körper dieser Frau, die vor siebenundzwanzig Jahrhunderten gelebt hat. Tiefe Zärtlichkeit überwältigt mich, eine sonderbar abwegige Zärtlichkeit. Vor siebenundzwanzig Jahrhunderten hat diese Frau gelebt, und ich empfinde jetzt vor ihrem Körper Rührung und Schmerz, als stünde ich vor einer Person, die soeben in der Blüte ihrer Jugend gestorben ist. Was ich empfinde, ist nicht Verehrung, auch nicht Hochachtung vor der Urgeschichte, oder Furcht oder irgend etwas dergleichen: es ist eine törichte Zärtlichkeit, die mich fast zu Tränen rührt. (Von einer geheimnisvollen Wiederbegegnung über alle Zeiten hinweg zu reden, klänge nach Literatur, ich weiß es wohl. Genug also.)

Bevor ich hinausgehe, werfe ich noch einen letzten Blick auf den makellos schönen Kopf, den überschlanken Hals.

Francisco Ayala
Mímesis, némesis

Después de habernos hecho contemplar los dise-
ños y colores maravillosos de la estática mariposa,
invierte con mano delicada el coleccionista su pequeño sarcófago de cristal para mostrarnos otra
maravilla: por el reverso, las alas simulan una
hoja seca, con sus tonos ocres, sus nervaduras, y
hasta – alarde virtuoso de la naturaleza artista –
esas manchitas de moho y esos agujeritos del
follaje otoñal.

¡Admirable «Kallima philarcus», admirable
«Spiridiva»! Hace tiempo ya que cesó tu florido
parpadeo en el aire luminoso; y ahora, inmóvil,
impávida, eres tú la hoja muerta con cuya en-
gañosa apariencia solías proteger tu vida contra
los pájaros voraces.

Francisco Ayala
Otro pájaro azul

«Mira, mira qué pájaro tan hermoso, allí, en el árbol, allí arriba; qué colores», casi gritaste corriendo hacia la ventana, llamándome a la ventana.

Habíamos pasado un rato en silencio, y escu-
chábamos a los pájaros cantar fuera, en aquella
neblina, con aquel viento. «Esos pobres petirrojos
se obstinan en cantar – había observado yo –. Por
más que llueva y haga un viento frío, ellos can-
tan: reclaman la primavera prometida.» Y fue
entonces cuando viste tú agitarse allá al fondo,
grande, azul, en lo alto de una rama, a ese pájaro
de belleza única, y me atrajiste a compartir tu
admiración, tu júbilo.

Pero en seguida pudimos darnos cuenta de que

Francisco Ayala
Nachahmung und Vergeltung

Nachdem uns der Sammler die prächtigen Muster und Farben des Schmetterlings im Kästchen hat betrachten lassen, dreht er mit zarter Hand den gläsernen Sarg um: er will uns ein weiteres Wunder zeigen. Auf der Rückseite sehen nämlich die Flügel wie dürres Herbstlaub aus: auf ockerfarbigem Grund zeichnen sich Blattrippen ab, und da sind sogar – Meisterstück der Künstlerin Natur – feine Schimmelfleckchen und Löchlein wie bei einem richtigen Baumblatt.

Bewundernswerte «Kallima Philarcus», herrliche «Spiridiva»! Lange ist es her, daß deine blühende Schönheit durch die lichten Lüfte schaukelte; jetzt bist du steif und fühllos, jetzt bist du selber das tote Blatt, das du täuschend echt nachahmtest, um dein Leben vor den gefräßigen Vögeln zu schützen.

Francisco Ayala
Auch ein blauer Vogel

«Schau, was für ein schöner blauer Vogel, dort, auf dem Baum, ganz oben! Was für Farben!» Du liefst zum Fenster und schriest beinahe, um mich herbeizurufen.

Wir waren eine Zeitlang still dagesessen und hatten dem Vogelgezwitscher draußen in der windigen trüben Luft zugehört. «Diese lieben Rotbrüstchen singen beharrlich weiter», hatte ich bemerkt, «auch wenn es noch so regnet und stürmt; sie singen einfach weiter und singen den versprochenen Frühling herbei.» Da erblicktest du in der Ferne etwas Großes, Blaues sich auf einem Ast hoch oben bewegen, den einzigartig schönen Vogel, und riefst mich herbei, damit ich in deine Begeisterung, deinen Jubel mit einstimme.

Aber sogleich konnten wir erkennen, daß es gar kein

no era tal ave. Lo que se movía en el árbol extendiendo y agitando con frenesí su oscuro azul, no era un ave; era quizá un trapo, un girón de tela prendido a las ramas en el viento.

Por consolarte, te dije yo (y así lo sentía): «Querida: es más hermoso y me gusta más que si hubiera sido de verdad, porque ese pájaro lo has creado tú, tú lo has inventado, es obra tuya.» Pero al mismo tiempo que te lo decía me acudió este pensamiento: Si no seré yo también una invención de tus ojos magos, y algún día, en algún momento ...

«Azorín» (José Martínez Ruiz)
El paraguas

«¡Qué horror, abuelita! ¡Eso no puede ser! ¿No es verdad que no es cierto?» Y la vieja duquesa de Brandilanes, aplicando otra vez sus labios al oído de la niña, su nieta, pronuncia palabras misteriosas durante un rato. «¿Que no puede ser? ¿Conoces tú la vida? ¡Qué sabes tú del mundo! No hija mía; no gastes paraguas; el paraguas es un artefacto fatídico. Por el paraguas me ocurrió a mí lo que te cuento.» «¡Pero es inverosímil, abuelita! ¿Cómo un paraguas puede ocasionar una catástrofe?» «Sí, sí; por el paraguas; el paraguas es un chisme fatal. Yo tenía entonces dieciocho años; un día iba por la calle; llovía; hacía un viento terrible; el paraguas se me dobló, y en aquel momento ... ¡No quiero pensarlo!» Otra vez los labios en el oído de la niña. Y la niña se lleva las manos a las frescas y rojas mejillas; sus ojos se ensanchan.

«Desde aquel día – suele decir ahora la duque-

Vogel war. Was sich dort oben auf dem Baum bewegte und sein dunkles Blau wild flattern ließ, war kein Vogel. Möglicherweise war es ein Lappen oder ein Stoffetzen, der sich im Wind zwischen den Ästen verfangen hatte.

Um dich zu trösten, sagte ich zu dir (und meinte es auch so): «Liebste, das ist schöner und gefällt mir viel besser, als wenn es ein richtiger Vogel wäre, denn diesen Vogel hast du geschaffen, er ist dein Werk.» Aber zur gleichen Zeit, da ich das zu dir sagte, kam mir noch ein Gedanke: ob am Ende auch ich eine Erfindung deiner Zauberaugen bin, und eines Tages, irgendwann ...

«Azorín» (José Martínez Ruiz)
Der Regenschirm

«Wie schrecklich, Großmutter! Das kann doch nicht sein! Ist es denn wahr, stimmt es wirklich?» Die alte Gräfin von Brandilanes hält wieder die Lippen ans Ohr ihrer Enkelin und flüstert ihr eine Weile geheimnisvolle Worte zu: «Das kann nicht sein? Kennst du denn das Leben? Was weißt du von der Welt! Nein, Kind, benütze nie einen Regenschirm; der Regenschirm ist ein unheilvolles Gerät. Wegen eines Regenschirms habe ich erlebt, was ich dir erzähle.» «Aber das gibt's doch gar nicht Großmutter! Wie kann ein Regenschirm ein Unglück verursachen?» «Doch; ein Regenschirm war schuld; der Regenschirm ist ein unseliges Ding. Ich war damals achtzehn; eines Tages war ich auf der Straße unterwegs; es regnete; es windete sehr; der Schirm drehte sich mir um, und in diesem Augenblick ... Ich mag gar nicht mehr daran denken!» Wieder sind die Lippen dicht am Ohr des Mädchens. Das Kind hält sich beide Hände an die frischen roten Wangen; seine Augen weiten sich.

«Seit diesem Tag», sagt die Gräfin von Brandilanes dann

sita de Brandilanes – no he vuelto a usar paraguas.» Y añade, tras una breve pausa: «Bien es
verdad que voy siempre en automóvil.»

Arturo Barea
En la Sierra

Esto fue en el primer otoño de la guerra.

El muchacho – veinte años – era teniente; el
padre soldado, por no abandonar al hijo. En la
Sierra dieron al hijo un balazo y el padre le cogió
a hombros. Le dieron un balazo de muerte. El
padre ya no podía correr y se sentó con su carga
al lado.

– Me muero, padre, me muero.

El padre le miró tranquilamente la herida
mientras el enemigo se acercaba. Sacó la pistola
y le mató.

A la mañana siguiente, fue a la cabeza de una
descubierta y recobró el cadáver del hijo abando-
nado en mitad de las peñas. Lo condujo a la posición. Le envolvieron en una bandera tricolor y
le enterraron.

Asistió el padre al entierro. Tenía la cabeza
descubierta mientras tapaban al hijo con la tierra
aterronada, dura de hielo.

La cabeza era calva, brillante, con un cerquillo
de pelos canos alrededor. Con la misma pistola
hizo saltar la tapadera brillante de la calva.

Quedó el cerquillo de pelo gris rodeando un
agujero horrible de sangre y sesos.

Le enterraron al lado del hijo.

El frio de la Sierra hacía llorar a los hombres.

jedesmal, «habe ich nie mehr einen Regenschirm benützt.»
Nach einer kleinen Pause fügt sie hinzu: «Wahr ist allerdings, daß ich immer im Automobil fahre.»

Arturo Barea
In der Sierra

Es geschah im ersten Kriegsherbst.

Der Junge – zwanzigjährig – war Leutnant; der Vater
Soldat, um den Sohn nicht allein zu lassen. In der Sierra
traf den Sohn eine Kugel, und der Vater nahm ihn auf die
Schultern. Die Kugel hatte tödlich getroffen. Der Vater
vermochte nicht mehr zu laufen und setzte sich mit seiner
Last an den Wegrand.

«Ich sterbe, Vater, ich sterbe.»

Der Vater betrachtete ruhig die Wunde, während der
Feind heranrückte. Er zog die Pistole und erschoß seinen
Sohn.

Am anderen Morgen holte er an der Spitze des Such-
trupps den Leichnam des Sohnes, der in den Felsen liegen
geblieben war. Er brachte ihn in die Stellung zurück. Dort
wickelte man ihn in ein dreifarbiges Fahnentuch und
schaufelte ihm ein Grab.

Der Vater nahm an der Beerdigung teil. Barhäuptig
stand er da, als der Sohn mit hartgefrorenen Erdbrocken
zugedeckt wurde.

Sein Kopf war kahl, ein schmaler Kranz grauer Haare
umrahmte die glänzende Glatze. Mit der gleichen Pistole
schoß er sich in den Schädel unter der glänzenden Glatze.

Der schmale Kranz grauer Haare umrahmte ein entsetz-
liches Loch blutiger Hirnmasse.

Er wurde an der Seite des Sohnes begraben.

Die Kälte in der Sierra brachte die Männer zum Weinen.

Olegario no sólo fue un as del presentimiento, sino que además siempre estuvo muy orgulloso de su poder. A veces se quedaba absorto por un instante, y luego decía: «Mañana va a llover». Y llovía. Otras veces se rascaba la nuca y anunciaba: «El martes saldrá el 57 a la cabeza». Y el martes salía el 57 a la cabeza. Entre sus amigos gozaba de una admiración sin límites.

Algunos de ellos recuerdan el más famoso de sus aciertos. Caminaban con él frente a la Universidad, cuando de pronto el aire matutino fue atravesado por el sonido y la furia de los bomberos. Olegario sonrió de modo casi imperceptible, y dijo: «Es posible que mi casa se esté quemando».

Llamaron un taxi y encargaron al chofer que siguiera de cerca a los bomberos. Estos tomaron por Rivera, y Olegario dijo: «Es casi seguro que mi casa se esté quemando.» Los amigos guardaron un respetuoso y afable silencio; tanto lo admiraban.

Los bomberos siguieron por Pereyra y la nerviosidad llegó a su colmo. Cuando doblaron por la calle en que vivía Olegario, los amigos se pusieron tiesos de expectativa. Por fin, frente mismo a la llameante casa de Olegario, el carro de bomberos se detuvo y los hombres comenzaron rápida y serenamente los preparativos de rigor. De vez en cuando, desde las ventanas de la planta alta, alguna astilla volaba por los aires.

Con toda parsimonia, Olegario bajó del taxi. Se acomodó el nudo de la corbata, y luego, con un aire de humilde vencedor, se aprestó a recibir las felicitaciones y los abrazos de sus buenos amigos.

Mario Benedetti
Die Feuerwehr

Olegario war nicht nur unübertrefflich in seinen Vorah-
nungen, er war auch immer sehr stolz auf diese seine
Fähigkeit. Manchmal saß er einen Augenblick selbstvergessen da und sagte dann: «Morgen regnet es». Und es
regnete wirklich. Oder er kratzte sich am Genick und ver-
kündete: «Am Dienstag wird die Nummer 57 als Haupttreffer gezogen». Und am Dienstag wurde tatsächlich die
Nummer 57 als Haupttreffer gezogen. Bei seinen Freunden
genoß er grenzenlose Bewunderung.

Einige von ihnen erinnern sich an das Meisterstück seiner Vorhersagen. Sie gingen mit ihm an der Universität
vorbei, als auf einmal die Morgenluft vom schrillen Ge-
hupe des Feuerwehrautos durchschnitten wurde. Olegario
lächelte fast unmerklich und sagte: «Möglicherweise
brennt mein Haus».

Sie riefen ein Taxi herbei und befahlen dem Fahrer, dem
Feuerwehrauto dicht zu folgen. Dieses fuhr durch die Ri-
vera-Straße, und Olegario sagte: «Es ist fast sicher, daß
mein Haus brennt». Die Freunde schwiegen achtungsvoll
und vielsagend; so sehr bewunderten sie ihn.

Die Feuerwehr fuhr weiter durch die Pereyra-Straße,
und die Spannung wuchs zum Zerreißen. Als sie in die
Straße einbogen, wo Olegario wohnte, erstarrten die
Freunde vor Erwartung. Schließlich hielt das Feuerwehrauto genau vor Olegarios Haus, aus dem die Flammen
züngelten, und die Männer machten sich schnell und ruhig
an ihre Vorbereitungen. Hie und da flog aus einem Fenster
im oberen Stockwerk ein brennender Span in die Luft.

In aller Gelassenheit stieg Olegario aus dem Taxi. Er
rückte seinen Krawattenknopf zurecht und stellte sich bereit, mit bescheidener Siegermiene von seinen guten
Freunden Glückwünsche und Umarmungen entgegenzu-
nehmen.

Miguel Bravo Tedín
El llamado de la montaña

Una mañana temprano la montaña comenzó a lanzar pequeños gritos.

Los pájaros se asustaron, algunas vacas dejaron de rumiar, miraron hacia la montaña un poco sorprendidas y siguieron comiendo. La naturaleza retomó su ritmo. Y los animales siguieron comiendo y corriendo. Pero la montaña persistió en sus gritos. Al día siguiente unos gritos más fuertes sorprendieron a vacas y animales. Y hasta un campesino se sorprendió un poco. Levantó la cabeza, se sacó el sombrero de paja y se rascó. Luego volvió a su tarea.

Lo más sorprendente no fue tanto que la montaña gritara sino que otras montañas siguieran el ejemplo también, tímidamente al principio; como entonándose y dándose ánimo, lanzaron pequeños gritos. Y ya nadie, ni vaca, campesino, ni animales, se preocuparon.

Al tiempo, el grupo de montañas, mucho más animado, no solamente gritó, sino cantó. Actualmente e una gloria escuchar en los atardeceres cuando el sol se aleja lentamente, el hermoso coro de montañas cantando alborozadas.

Carlos Castañón Barrientos
Diálogo

Era lo que se llama un hombre raro. Nunca olvidaré el diálogo que entablamos aquella vez que le encontré llorando silenciosamente:

– ¿Por qué lloras? –, le pregunté conmovido.

– Lloro por nada –, me respondió luego de un breve silencio.

Miguel Bravo Tedín
Die schreienden Berge

Eines Morgens begann der Berg in aller Frühe leise zu wimmern.

Die Vögel erschraken, einige Kühe hörten auf mit Wiederkäuen, schauten ein wenig verwundert zum Berg und kauten dann weiter. Die Natur fand wieder zu ihrem gewohnten Gang zurück. Die Tiere fraßen wieder und rannten wieder umher. Aber der Berg wimmerte weiter. Am nächsten Morgen war es nicht mehr nur ein Wimmern, die Kühe und andere Tiere wurden von regelrechten Schreien beunruhigt. Sogar ein Bauer wunderte sich. Er hob den Kopf, nahm den Strohhut ab und kratzte sich. Dann wandte er sich wieder seiner Arbeit zu.

Das Überraschende war allerdings weniger, daß der Berg Schreie ausstieß, als daß die anderen Berge seinem Beispiel folgten und ihrerseits – erst schüchtern, wie um sich einzustimmen und sich gegenseitig zu ermuntern – feine Schreie ausstießen. Aber nun kümmerte sich niemand mehr darum, weder Kühe, noch Bauer, noch andere Tiere.

Mit der Zeit wurde die Berggruppe selbstsicherer und beließ es nicht beim Schreien. Sie sang. Gegenwärtig ist es eine helle Freude, in der Abenddämmerung, wenn die Sonne allmählich untergeht, dem wunderschönen Chor der Berge beim Jubelgesang zuzuhören.

Carlos Castañón Barrientos
Zwiegespräch

Er war, was man einen seltsamen Menschen nennt. Niemals werde ich das Gespräch vergessen, das sich entspann, als ich ihn leise weinend antraf.

«Warum weinst du?» fragte ich ihn mitfühlend.

«Ich weine um nichts», antwortete er mir nach kurzem Schweigen.

– ¿Es acaso por la vanidad de todo?

– Las vanidades del mundo apenas me hacen sonreir. En este instante yo no sonrío. Lloro.

– ¿Lloras entonces porque sufres? –, volví a indagar.

– El sufrimiento no me hace llorar. A veces me desespera. Pero en todo caso me obliga a luchar para vencerle. Ahora no desespero ni lucho: lloro.

– ¿Quizá una inmensa alegría te arranca esas lágrimas? –, díjele con optimismo.

Y él me replicó mirándome a los ojos:

– No. Mis alegrías suelen ser mudas. Lloro porque corrí tras una bella ilusión, y esa ilusión se ha convertido en nada. Lloro por nada.

Camilo José Cela
Marcos Jabalón, mozo enfermo,
y las caridades de Sancha Sánchez, criada de servir

Al mozo enfermo le dicen Marcos Jabalón. La criada reluciente se llama Sancha Sánchez y es tan cachonda como desabrida, tan lozana de ver como hirsuta, ¡vaya por Dios!, de escuchar.

– Témplese, joven, que ni la cosa es para tanto ni usted canta tan bien como, por cortesía, le mentí.

Marcos Jabalón, desde su rinconcillo y tras la fresca persiana, se distrae oyendo el silbo del jilguero, mirando el incesante trajinar de la moza. Marcos Jabalón, que tiene ya veinte años, sabe, incluso sin dolor, que ni aquella moza ni ninguna será jamás para él.

– Claro, ¿por qué han de ser para mí, si no puedo correrlas por las eras?

Marcos Jabalón discurre, con mucho fundamento y con no demasiada tristeza, sobre la varia

«Ist es vielleicht wegen der Sinnlosigkeit von allem?»

«Die Sinnlosigkeiten der Welt nötigen mir kaum ein Lächeln ab. Aber jetzt gerade lächle ich nicht. Ich weine.»

«Weinst du also, weil du leidest?» bohrte ich weiter.

«Das Leiden bringt mich nicht zum Weinen. Manchmal bringt es mich zum Verzweifeln. Auf jeden Fall zwingt es mich zu kämpfen, um es zu besiegen. Jetzt verzweifle ich nicht und kämpfe nicht. Ich weine.»

«Vielleicht fließen deine Tränen aus übergroßer Freude?» fragte ich ihn guten Mutes.

Er schaute mir in die Augen und antwortete:

«Nein, meine Freuden sind in der Regel stumm. Ich weine, weil ich einem Wunschbild nachgelaufen bin, und es hat sich in nichts aufgelöst. Ich weine um nichts.»

Camilo José Cela
Der kranke Jüngling Marcos Jabalón
und die mildtätige Magd Sancha Sánchez

Der kranke Jüngling wird Marcos Jabalón genannt. Die blühende Dienstmagd heißt Sancha Sánchez. Sie ist so lebensfroh wie vorlaut, so prächtig anzusehen wie – ach, mein Gott! – garstig anzuhören.

«Mäßigen Sie sich, junge Frau, weder ist die Sache der Rede wert, noch haben Sie so schön gesungen, wie ich Ihnen aus Höflichkeit vorgelogen habe.»

Marcos Jabalón hört in seinem Winkel hinter dem kühlenden Rolladen dem Gezwitscher des Distelfinks zu und beobachtet das stets geschäftige Dienstmädchen; Marcos Jabalón ist schon zwanzig und ist sich bewußt – sogar ohne Schmerz zu empfinden –, daß weder dieses Mädchen noch irgendein anderes jemals für ihn bestimmt ist.

«Klar, warum sollten sie für mich sein, wenn ich ihnen auf dem Dreschplatz nicht einmal nachlaufen kann.»

Marcos Jabalón setzt sich sehr gründlich und nicht einmal traurig mit der Launenhaftigkeit des menschlichen

suerte de cada cual: sobre la torcida y perra suerte que le sujeta, ya para siempre jamás y como si fuera un anciano decrépito, al turbio y mecido mundo de su mecedora.

– Otros están peor, ¿verdad usted? A mí, al menos, me dan de comer todos los días.

Sancha Sánchez, ¡qué ganas de jugar con ventaja!, como sabe que el garzón del paralís no puede ni moverse, le brinda desde su ventanillo – ¡ay, qué cruel y agradecida paganía! – la caridad color de rosa que a todos vela, el recoleto paisaje que a nadie, absolutamente a nadie, ofreció nunca ni, por ahora y que se sepa, ofrece ni piensa ofrecer.

– ¡Pues estaría bueno!

Sancha Sánchez, por si Marcos Jabalón está dormido detrás de su persiana, canta lo de *Jalisco nunca pierde*, que es tan hermoso, a cuello herido. Sancha Sánchez, cuando siente rebullir al mozo baldado, se queda en camisa – ¡qué calor hace! – y se da a la generosa limosnería de lo que no suele verse al aire libre.

– El Marcos también es de Dios – piensa –, como cada cual.

Marcos Jabalón, oculto por la persiana, se sobresalta y sonríe con una inmensa gratitud, con un gozo ingenuo y desconsolado, turbio y también lleno de pureza. Sancha Sánchez, enmarcada por el ventano, semeja una prisionera infanta mora y descocada que lleva mal la soledad.

– Sancha.

– Mande, usted, señorita.

– Retírate de la ventana, que te pueden ver desde la calle.

Sancha Sánchez guarda silencio y, como es obediente y respetuosa con su señora, se retira de la ventana. Sancha Sánchez ya no canta lo de *Jalisco*

Schicksals auseinander: mit dem rabenschwarzen Pech, das ihn für immer und ewig wie einen Zittergreis an den Schaukelstuhl fesselt, dessen eintöniges Hin- und Herpendeln seine Welt ausmacht.

«Anderen geht es noch schlimmer, finden Sie nicht? Ich bekomme wenigstens jeden Tag mein Essen.»

Mit wie viel übermütiger Lust nützt doch Sancha Sánchez ihren Spielvorteil aus! Im Wissen, daß der gelähmte Jüngling sich nicht rühren kann, schenkt sie ihm von ihrem Fensterchen aus in rosaroten Farben ihre Nächstenliebe, die sie sonst verbirgt, die geheime Landschaft ihres Körpers, die sie noch nie jemandem, noch gar niemandem, gezeigt hat, vorläufig auch keinen Grund hat zu zeigen, und soviel man weiß, nie zu zeigen gedenkt.

«Das fehlte gerade noch!»

Für den Fall, daß Marcos Jabalón hinter dem Rolladen eingeschlafen wäre, singt Sancha Sánchez aus voller Kehle das wohlbekannte «Jalisco nunca pierde», denn es ist ja so schön ... Wenn Sancha Sánchez hört, daß sich der kranke Jüngling bemerkbar macht, arbeitet sie im Hemd – es ist ja so heiß! – und verschenkt als großmütiges Almosen, was sonst nicht an der frischen Luft zu sehen ist.

«Marcos ist auch ein Geschöpf Gottes», denkt sie, «wie wir alle.»

Marcos Jabalón erschrickt hinter dem Rolladen verborgen und genießt mit unendlich dankbarem Lächeln und doch traurig seine kindlich unschuldige Verwirrung. Sancha Sánchez sieht im Fensterrahmen aus wie eine maurische Prinzessin im Gefängnis, die ihre Einsamkeit schwer erträgt.

«Sancha!»

«Sie wünschen, gnädige Frau?»

«Geh weg vom Fenster, man kann dich von der Straße aus sehen.»

Sancha Sánchez schweigt, und da sie gehorsam ist und die Dame des Hauses achtet, geht sie vom Fenster weg. Sancha Sánchez singt das Lied «Jalisco nunca pierde» nicht

nunca pierde; se conoce que se puso triste de golpe, como algunos se van para el otro mundo. Marcos Jabalón, desde su parapeto, vuelve a escuchar el trino melodioso del pajarito ciego. Marcos Jabalón, armado de paciencia, espera a que el sol se ponga. Entonces le dan de cenar; tortilla de patatas, como siempre, y un vasito de vino. Después lo acuestan y le apagan la luz. Ahora, Marcos Jabalón aguarda a que el sueño – con Sancha Sánchez en su nube – le venza. Aquí todo va por su orden. Cuando la noche lleva ya su camino andado, Marcos Jabalón confía en que el sol regrese con sus clemencias y en que Sancha Sánchez, esa ilusión remota, vuelva a sus cautelosas y misteriosas maniobras. Marcos Jabalón se alegra de estar vivo.

Camilo José Cela
Las parejas que bogan en el estanque del Retiro

Las parejas que bogan, dulcísimas y elegíacas, en el estanque del Retiro, no temen al sol, ni al aire, ni a los guardas y otras inclemencias del tiempo; el amor las acoraza contra los embates de la adversidad, por duros que fueren.

– ¿Me quieres, Rosita?

– Mucho, Leonardo. No te distraigas, no vayamos a volcar. ¿Y tú?

– Yo también, ya lo sabes.

A las parejas que bogan, soñadoramente enfundadas en su traje nuevo, en el estanque del Retiro, no les atemoriza más que el chapuzón; entre las gentes de tierra adentro, es una actitud muy razonable.

– ¿Me quieres, Julita?

mehr. Man merkt, daß sie auf einen Schlag ganz traurig geworden ist, wie es bei einigen Leuten vorkommt, wenn sie ins Grab steigen. Marcos Jabalón hört nun von seinem Fenstergesims aus wieder dem Gezwitscher des blinden Vögelchens zu. Marcos Jabalón ist mit Geduld gewappnet und wartet auf den Sonnenuntergang. Dann bekommt er sein Abendessen: Kartoffeltortilla wie immer und ein Gläschen Wein dazu. Dann wird er zu Bett gebracht und das Licht gelöscht. Nun wartet Marcos Jabalón, bis der Schlaf ihn umfängt – und in einer Wolke darin Sancha Sánchez erscheint. Hier hat alles seine Ordnung. Wenn die Nacht weit vorgerückt ist, vertraut Marcos Jabalón darauf, daß die Sonne mit ihren milden Gaben wieder aufgeht und daß Sancha Sánchez ihre geheimnisvoll durchtriebenen Machenschaften wieder aufnimmt. Marcos Jabalón freut sich, am Leben zu sein.

Camilo José Cela
Liebespaare beim Rudern auf dem Weiher des Retiro-Parks

Die Liebespaare, die träumerisch sanft auf dem Weiher des Retiro-Parks umherrudern, fürchten weder Sonne noch Wind, weder Aufseher noch andere äußere Widerwärtigkeiten. Die Liebe stählt sie gegen jeden auch noch so heftigen Anprall garstiger Gewalten.

«Liebst du mich, Rosita?»

«Sehr, Leonardo. Pass auf, sonst kentert noch das Boot! Und du?»

«Ich auch, das weißt du ja.»

Die rudernden Liebespaare, die in ihren funkelnagelneuen Kleidern vor sich hinträumen, fürchten im Weiher des Retiro-Parks nichts so sehr wie einen Wasserspritzer; bei Leuten aus dem Landesinnern ist das eine vernünftige Haltung.

«Liebst du mich, Julita?»

Algunas novias llaman al novio por el apellido; ésta es cosa usual entre compañeros de estudios.

— Mucho, Recaséns, ¡un horror! No te distraigas, no vayamos a volcar ... Aunque nada me importaría morir contigo, te lo juro.

Julita es muy temperamental. Sus tías paternas, que son feas como rayos y todas solteras y sin esperanza de dejar de serlo, dicen que sale a la madre.

— Es igualita a nuestra cuñada, están las dos cortadas por el mismo patrón. ¡Pobre hermano! ¡Con las buenas proporciones que tuvo y en qué árbol se ha ido a ahorcar! En fin, ¡el pobre bien lo está pagando!

Las parejas que bogan, amorosas y tiernas y pegajosillas, en el estanque del Retiro, son de varia edad, de distinto pelaje, incluso de inclinaciones diferentes. Lo único que las unifica es el amor. Quizás, también la manera de expresar su amor.

— ¿Me quieres, Micaela, alma mía?

— Mucho, Plácido, ¡no lo sabes tú bien! No te distraigas, no vayamos a volcar. ¿Y tú?

— Yo más, vida mía, ¡mucho más!

— No, Plácido, no seas mentiroso. ¡Yo más! No te distraigas, que chocamos.

Micaela está llena de pecas y no tiene demasiada salud. Micaela trabaja de mecanógrafa — jornada intensiva — en una compañía de seguros. Micaela no está para intensidades sino más bien para sopitas y buen vino. Si Plácido gana a tiempo las oposiciones, la chica quizás se salve. Si no, mala suerte.

— Y usted, Plácido, ¿cree que sacará las oposiciones? — le pregunta doña Fina, su patrona.

— Ya veremos. Estudiar, ya ve usted que estudio. ¡Si tengo algo de suerte!

Las parejas que bogan, anestesiadamente, en el

Einige Mädchen nennen ihren Freund beim Familiennamen; das ist so üblich unter Studenten.

«Sehr Recaséns! Schrecklich! Paß auf, sonst kentert das Boot ... obwohl es mir nichts ausmachen würde, mit dir zu sterben, ich schwöre es dir.»

Julita ist sehr temperamentvoll. Ihre Tanten väterlicherseits, alle häßlich wie die Nacht, alle ledig und ohne Aussicht, es einmal nicht mehr zu sein, sagen von ihr, sie schlage ihrer Mutter nach.

«Sie gleicht unserer Schwägerin aufs Haar, beide sind nach der gleichen Schablone geschnitten. Armer Bruder! Bei der guten Figur, die er hatte! An was für einem Baum er sich aufgehängt hat! Nun, der Ärmste zahlt teuer dafür!»

Die Pärchen, die zärtlich verliebt aneinander geschmiegt auf dem Weiher des Retiro-Parks umherrudern, sind sehr unterschiedlich im Alter, im Aussehen, sogar in ihren Wünschen. Gemeinsam ist ihnen nur ihre Verliebtheit. Vielleicht auch die Art, sie in Worte zu fassen.

«Liebst du mich, Micaela, mein Herz?»

«Sehr, Plácido, du weißt gar nicht wie sehr! Paß auf, sonst kentert noch das Boot. Und du?»

«Ich noch viel mehr, du mein Ein und Alles!»

«Nein, Plácido, bleib doch bei der Wahrheit! Ich liebe dich mehr! Paß auf, sonst stoßen wir noch wo an!»

Micaela hat Sommersprossen und ist nicht ganz gesund. Micaela arbeitet als Tippfräulein – Intensivarbeitstag ohne Mittagspause – in einer Versicherungsgesellschaft. Micaela ist nicht für Intensives geschaffen, sie ist eher für dünne Süppchen und einen guten Wein. Wenn Plácido rechtzeitig die Bewerbungsprüfungen besteht, kann sie vielleicht gerettet werden. Sonst: Pech gehabt!»

«Und Sie, Plácido, glauben Sie, die Bewerbungsprüfung zu gewinnen?» fragt ihn seine Zimmerwirtin, Doña Fina.

«Das wird sich zeigen. Am Lernen fehlt es jedenfalls nicht, das sehen Sie ja. Wenn ich etwas Glück habe ...»

Die Liebespaare, die selbstvergessen auf dem Weiher des

estanque del Retiro, se imaginan a la felicidad como la prima noble y hermosa de la lotería.

— ¿Me quieres, Isabelita?

Isabelita es tímida y violenta, sacrificada y enamorada, misteriosa y cruel, todo junto.

— Si no lo sabes, ¿por qué vienes a buscarme todos los días? ¡Arrímate al embarcadero, que me voy!

— Pero, mujer, Isabelita, no me hagas esto.

— ¡Es lo que te mereces por dudar de mí! ¡No quiero estar ni un solo minuto más a tu lado! ¡Déjame en el embarcadero! ¡No quiero verte!

A Isabelita, antes de llegar al embarcadero, se le soltó la alborotadora fuente de las lágrimas.

— Perdóname, Joaquín, no sé lo que me digo ...

Joaquín la perdonó. A poco más, vuelcan.

Luis Cernuda
El maestro

Lo fue mío en clase de retórica, y era bajo, rechoncho, con gafas idénticas a las que lleva Schubert en sus retratos, avanzando por los claustros a un paso corto y pausado, breviario en mano o descansada ésta en los bolsillos del manteo, el bonete derribado bien atrás sobre la cabeza grande, de pelo gris y fuerte. Casi siempre silencioso, o si emparejado con otro profesor acompasando la voz, que tenía un tanto recia y campanuda, las más veces solo en su celda, donde había algunos libros profanos mezclados a los religiosos, y desde la cual veía en la primavera cubrirse de hoja verde y fruto oscuro un moral que escalaba la pared del patinillo lóbrego adonde abría su ventana.

Un día intentó en clase leernos unos versos, trasluciendo su voz el entusiasmo emocionado, y

Retiro-Parks umherrudern, stellen sich das Glück wie einen schönen saftigen Lotteriegewinn vor.

«Liebst du mich, Isabelita?»

Isabel ist schüchtern und aufbrausend, aufopfernd und verliebt, rätselhaft und grausam, alles miteinander.

«Wenn du es nicht weißt, warum kommst du mich jeden Tag abholen? Fahr zum Landungssteg, ich steige aus!»

«Aber Isabelita, Liebste, tu mir doch das nicht an!»

«Du verdienst nichts anderes, wenn du an mir zweifelst! Ich will keine Minute länger mehr bei dir sein! Fahr mich zum Landungssteg! Ich will dich nicht mehr sehen!»

Bevor sie am Landungssteg waren, brach Isabelita in lautes Schluchzen aus und ließ ihren Tränen freien Lauf.

«Verzeih mir, Joaquín, ich weiß nicht, was ich rede . . .»

Joaquín verzieh ihr. Um ein Haar wären sie gekentert.

Luis Cernuda
Der Lehrer

Ich hatte bei ihm Rhetorik-Unterricht; er war klein, rundlich, trug eine Brille wie Schubert auf den Bildnissen; langsam und mit kurzen Schritten ging er durch den Kreuzgang, hielt das Brevier in der Hand oder ließ die Hand in der Tasche seiner Kutte ruhen, das Käppchen saß ganz hinten auf dem kräftigen grauen Haar. Meistens ging er still vor sich hin, manchmal in Begleitung eines andern Lehrers, dem er seine sonst eher laute hohltönende Stimme anpaßte; sonst saß er allein mit seinen Büchern in der Zelle – einige weltliche hatten sich unter die religösen gemischt – oder er beobachtete, wie an den Brombeerstauden, die an der Mauer im düsteren kleinen Hof emporrankten, im Frühling die hellgrünen Blätter sprossen und im Herbst die dunklen Beeren reiften.

Einmal versuchte er uns in der Schule ein Gedicht vorzulesen. In seiner Stimme schwang Begeisterung und Er-

debió serle duro comprender las burlas, veladas primero, descubiertas y malignas después, de los alumnos – porque admiraba la poesía y su arte, con resabio académico como es natural. Fue él quien intentó hacerme recitar alguna vez, aunque un pudor más fuerte que mi complacencia enfriaba mi elocución; él quien me hizo escribir mis primeros versos, corrigiéndolos luego y dándome como precepto estético el que en mis temas literarios hubiera siempre un asidero plástico.

Me puso a la cabeza de la clase, distinción que ya tempranamente comencé a pagar con cierta impopularidad entre mis compañeros, y antes de los exámenes, como comprendiese mi timidez y desconfianza en mí mismo, me dijo: «Ve a la capilla y reza. Eso te dará valor».

Ya en la universidad, egoístamente, dejé de frecuentarlo. Una mañana de otoño áureo y hondo, en mi camino hacia la temprana clase primera, vi un pobre entierro solitario doblar la esquina, el muro de ladrillos rojos, por mí olvidado, del colegio: era el suyo. Fue el corazón quien sin aprenderlo de otros me lo dijo. Debió morir solo. No sé si pudo sostener en algo los últimos días de su vida.

Luis Cernuda
El indio

Con sus hijos a veces, otras solo; vendiendo algo que parece no importarle, o sin pretexto para su presencia inmóvil; descalzo y en cuclillas sobre el polvo, el sombrero de paja escondiendo los ojos, donde acaso pudiera adivinarse lo que siente y lo que piensa, mírale.

Cayeron los amos antiguos. Vencidos a su vez

griffenheit, darum fiel es ihm wohl schwer, die Schüler zu verstehen, die ihren Spott erst versteckt, dann offen und böswillig kundtaten, – er bewunderte selbstverständlich die Dichtkunst, vor allem die geistig anspruchsvolle. Er versuchte auch einmal, mich ein Gedicht vortragen zu lassen, aber meine Scheu war stärker als meine Bereitschaft und lähmte meinen Schwung beträchtlich; er ermunterte mich auch, selbst Gedichte zu schreiben und korrigierte sie dann, und ihm verdanke ich den Rat, meine literarischen Themen immer bildhaft anschaulich zu gestalten.

Er erkor mich zum Klassenersten, eine Auszeichnung, die mich bei meinen Kameraden bald ziemlich unbeliebt machte, und vor den Prüfungen riet er mir – denn er wußte um meine Schüchternheit und mein mangelndes Selbstvertrauen: «Geh in die Kapelle und bete, das gibt dir Mut.»

Als Student besuchte ich ihn dann aus egoistischen Gründen nicht mehr. An einem sattgoldenen Herbstmorgen sah ich auf dem Weg zum ersten Kolleg einen beschämend armseligen Trauerzug um die Ecke des längst vergessenen Schulhauses mit der roten Ziegelmauer biegen. Es war seiner, mein Herz sagte es mir, ohne daß ich es von anderen Leuten zu erfahren brauchte. Er muß allein gewesen sein im Sterben. Ich weiß nicht, ob er in seinen letzten Lebenstagen irgendwo eine Stütze hatte.

Luis Cernuda
Der Indio

Mit seinen Kindern manchmal, sonst allein; etwas zum Verkaufen bei sich, was ihm anscheinend unwichtig ist; oder auch ohne Vorwand für sein unauffälliges Hiersein, kauert er bafuß auf dem staubigen Boden und verdeckt mit seinem Strohhut die Augen, die von seinen Gefühlen und Gedanken etwas verraten könnten – schau ihn an.

Die alten Herrscher wurden gestürzt. Die Eroberer wur-

fueron los conquistadores. Se abatieron y se olvidaron las revoluciones. Él sigue siendo el que era; idéntico a sí mismo, deja cerrarse, sobre la agitación superficial del mundo, la haz igual del tiempo.

Es el hombre a quien los otros pueblos llaman no civilizado. Cuánto pueden aprender de él. Ahí está. Es más que un hombre: es una decisión frente al mundo. ¿Mejor? ¿Peor? Quién sabe. Tú, al menos, confiesas no saberlo. Pero allá en tus entrañas le comprendes.

Mírale, tú que te creíste poeta, y tocas ahora en lo que paran tareas, ambiciones y creencias. A él, que nada posee, nada desea, algo más hondo le sostiene; algo que hace siglos postula tácitamente. Lástima que el azar no te hiciera nacer uno entre los suyos.

Demasiado sería pedir su descuido ante la pobreza, su indiferencia ante la desdicha, su asentimiento ante la muerte. Pero gracias, Señor, por haberle creado y salvado; gracias por dejarnos ver todavía alguien para quien Tu mundo no es una feria demente ni un carnaval estúpido.

José de la Cuadra
Olor de cacao

El hombre hizo un gesto de asco. Después arrojó la buchada, sin reparar que añadía nuevas manchas al sucio mantel de la mesilla.

La muchacha se acercó, solícita, con el limpión en la mano.

— ¿Taba caliente?

Se revolvió el hombre, fastidiado.

— El que está caliente soy yo, ¡ajo! — replicó.

De seguida soltó a media voz una colección de palabrotas brutales.

den ihrerseits besiegt. Revolutionen wurden niederge-
schlagen oder vergessen. Er bleibt, wer er war; sich selber
treu, läßt er über dem oberflächlichen Weltgetümmel den
Lauf der Zeit zum immer gleichen Kreis sich schließen.

Er ist der Mensch, den die anderen Völker unzivilisiert
nennen. Wieviel sie von ihm lernen könnten! Da ist er.
Er ist mehr als ein Mensch: er ist Entschlossenheit der
Welt gegenüber. Besser? Schlechter? Wer weiß. Du zu-
mindest gibst zu, es nicht zu wissen. Aber in deinem Innern verstehst du ihn.

Schau ihn an, der du meintest, ein Dichter zu sein. Hier
stehst du vor etwas ohne Verpflichtungen, Bestrebungen,
Glaubensüberzeugungen. Ihn, der nichts besitzt, nichts
begehrt, ihn hält etwas Tieferes am Leben; seit Menschengedenken steht er schweigend dafür ein. Der Zufall wollte
nicht, daß du als einer der Ihren geboren wurdest, schade.

Gleichgültigkeit gegenüber der Armut, Gelassenheit angesichts des Schicksals, Zustimmung zum Tod wäre zu viel
verlangt. Aber Dank sei dir, Gott, daß du ihn erschaffen
und erhalten hast; Dank, daß wir immer noch jemandem
begegnen dürfen, für den deine Welt kein irrer Jahrmarkt
und kein törichtes Faschingstreiben ist.

José de la Cuadra
Kakaoduft

Der Mann verzog das Gesicht vor Ekel. Dann spie er den
Schluck Kakao aus, ohne zu merken, daß er das schmutzige
Tischtuch noch mehr befleckte.

Das Mädchen kam dienstbeflißen mit einem Wischlap-
pen in der Hand:

«War er zu heiß?»

Der Mann drehte sich verärgert um.

«Glühend heiß bin ich, zum Teufel!» stieß er aus.

Und dann ließ er halblaut eine Litanei derber Flüche
folgen.

Concluyó:

— ¿Y a esta porquería la llaman cacao? ¿A esta cosa intomable?

Mirábalo la sirvienta, azorada y silenciosa. Desde adentro, de pie tras el mostrador, la patrona espectaba.

Continuó el hombre:

— ¡Y pensar que ésta es la tierra del cacao! A tres horas de aquí ya hay huertas ...

Expresó esto en un tono suave, nostálgico, casi dulce ...

Y se quedó contemplando a la muchacha.

Después, bruscamente, se dirigió a ella:

— Yo no vivo en Guayaquil, ¿sabe? Yo vivo allá, allá ... en las huertas ...

Agregó, absurdamente confidencial:

— He venido porque tengo un hijo enfermo, ¿sabe?, mordido de culebra ... Lo dejé esta tarde en el hospital de niños ... Se morirá, sin duda ... Es la mala pata ...

La muchacha estaba ahora más cerca. Calladita, calladita. Jugando con los vuelos del delantal.

Quería decir:

— Yo soy de allá, también; de allá ... de las huertas ...

Habría sonreído al decir esto. Pero no lo decía. Lo pensaba, sí, vagamente. Y atormentaba los flequillos de randa con los dedos nerviosos.

Gritó la patrona:

— ¡María! ¡Atiende al señor del reservado!

Era mentira. Sólo una señal convenida de apresurarse era. Porque ni había señor, ni había reservado. No habían sino estas cuatro mesitas entre estas cuatro paredes, bajo la luz angustiosa de la lámpara de querosén. Y, al fondo, el mostrador, debajo del cual las dos mujeres dormían ape-

Er schloß:

«Dieses Gesöff nennt ihr Kakao? Dieses untrinkbare Zeug?»

Die Kellnerin schaute ihn eingeschüchtert und schweigend an. Hinter dem Schanktisch stand abwartend die Wirtin.

Der Mann redete weiter:

«Wenn man bedenkt, daß hier der Kakao wächst. Kaum drei Stunden weit weg sind die Baumgärten ...»

Sehnsüchtig sanft und weich klang seine Stimme, als er das sagte ...

Dabei betrachtete er lange das Mädchen.

Plötzlich redete er sie grob an:

«Ich wohne nicht in Guayaquil, wissen Sie? Ich bin von dort draußen ... von den Pflanzungen ...»

Unangemessen vertraulich fügte er hinzu:

«Ich bin gekommen, weil mein Kind krank ist, wissen Sie? Ein Schlangenbiß ... Ich habe den Buben heute nachmittag ins Kinderkrankenhaus gebracht ... Er wird wohl sterben, sicherlich ... Es ist eben Pech ...»

Das Mädchen war näher getreten, hörte schweigend zu, still, ganz still spielte sie mit den Rüschen an ihrer Schürze.

Sie wollte sagen:

«Ich bin auch von dort draußen ... wo die Baumgärten sind ...»

Sie hätte gelächelt dabei. Aber sie sagte es nicht. Sie erwog es nur mal so. Mit nervösen Fingern zerrte sie an den Rüschen an ihrer Schürze.

Vom Schanktisch her rief die Wirtin:

«Maria, bediene den Herrn im Nebenzimmer!»

Das stimmte gar nicht. Es war nur ein verabredetes Zeichen, daß sie sich beeilen solle. Denn da war gar kein Herr und auch kein Nebenzimmer. Es gab nur die vier Tischchen in den vier Wänden im fahlen Licht einer Kerosinlampe. Und hinten war der Schanktisch; darunter schliefen an einandergeschmiegt die beiden Frauen, um

lotonadas, abrigándose la una con el cuerpo de la otra. Nada más.

Se levantó el hombre para marcharse.

– ¿Cuánto es?

La sirviente aproximóse más aún a él. Tal como estaba ahora, la patrona únicamente la veía de espaldas; no veía el accionar de sus manos nerviosas, ilógicas.

– ¿Cuánto es?

– Nada ... nada ...

– ¿Eh?

– Sí; no es nada ..., no cuesta nada ... Como no le gustó ...

Sonreía la muchacha mansamente, miserablemente; lo mismo que, a veces, suelen mirar los perros.

Repitió, musitando:

– Nada ...

Suplicaba casi al hablar.

El hombre rezongó, satisfecho:

– Ah, bueno ...

Y salió.

Fue al mostrador la muchacha.

Preguntó la patrona:

– ¿Te dio propina?

– No; sólo los dos reales de la taza ...

Extrajo del bolsillito del delantal unas monedas que colocó sobre el zinc del mostrador.

– Ahí están.

Se lamentó la mujer:

– No se puede vivir ... Nadie da propina ... No se puede vivir ...

La muchacha no la escuchaba ya.

Iba, de prisa, a atender a un cliente recién llegado.

Andaba mecánicamente. Tenía en los ojos, obsesionante, la visión de las huertas natales, el

sich mit ihren Körpern gegenseitig zu wärmen. Das war alles.

Der Mann erhob sich, um wegzugehen:

«Wieviel macht es?»

Die Kellnerin trat noch näher an den Mann heran. So wie sie nun dastand, konnte die Wirtin sie nur von hinten sehen und wußte nichts vom nervösen, sinnlosen Spiel ihrer Finger.

«Wieviel macht es?»

«Nichts ... nichts ...»

«Hm ...?»

«Nichts; nichts ... es kostet nichts ... Es hat Ihnen ja nicht geschmeckt ...»

Das Mädchen lächelte auf eine sanfte, auf eine hilflose Art. Auf die gleiche Art können einen manchmal Hunde anschauen.

Sie flüsterte noch einmal:

«Nichts ...»

Sie flehte es beinahe.

Der Mann brummte befriedigt:

«Also, gut ...»

Und ging hinaus.

Das Mädchen ging zum Schanktisch.

Die Wirtin fragte:

«Hat er dir ein Trinkgeld gegeben?»

«Nein, nur die zwei Batzen für die Tasse ...»

Sie klaubte einige Münzen aus dem Schürzentäschchen und legte sie auf die Zinkfläche des Schanktisches.

«Hier sind sie.»

Die Frau jammerte:

«Man kann nicht leben ... Niemand gibt Trinkgeld ... Man kann so nicht leben ...»

Das Mädchen hörte schon nicht mehr hin.

Sie ging schnell zu einem neuen Gast, der eben hereingekommen war.

Ihre Schritte waren mechanisch. In ihrem inneren Auge hatte sie den bezwingenden Blick auf das Gartenland ihrer

paisaje cerrado de las arboledas de cacao. Y le acalambraba el corazón un ruego para que Dios no permitiera la muerte del desconocido hijo de aquel hombre entrevisto.

Rubén Darío
La resurrección de la rosa

Amiga Pasajera: voy a contarle un cuento.

Un hombre tenía una rosa; era una rosa que le había brotado del corazón. ¡Imagínese usted si la vería como un tesoro, si la cuidaría con afecto, si sería para él adorable y valiosa la tierna y querida flor! ¡Prodigios de Dios! La rosa era también un pájaro; parlaba dulcemente, y, en veces, su perfume era tan inefable y conmovedor como si fuera la emanación mágica y dulce de una estrella que tuviera aroma.

Un día, el ángel Azrael pasó por la casa del hombre feliz, y fijó sus pupilas en la flor. La pobrecita tembló, y comenzó a padecer y a estar triste, porque el ángel Azrael es el pálido e implacable mensajero de la muerte. La flor desfalleciente, ya casi sin aliento y sin vida, llenó de angustia al que en ella miraba su dicha. El hombre se volvió hacia el buen Dios, y le dijo:

— Señor: ¿para qué me quieres quitar la flor que nos diste?

Y brilló en sus ojos una lágrima.

Conmovióse el bondadoso Padre, por virtud de la lágrima paternal, y dijo estas palabras:

— Azrael, deja vivir esa rosa. Toma, si quieres, cualquiera de las de mi jardín azul.

La rosa recobró el encanto de la vida. Y ese día, un astrónomo vio, desde su observatorio, que se apagaba una estrella en el cielo.

Kindheit, die geschlossene Landschaft, die Reihen der Kakaobäume. Das Herz krampfte sich ihr zusammen, als sie Gott anflehte, er möge das unbekannte Kind des Mannes, den sie kaum gesehen hatte, nicht sterben lassen.

Rubén Darío
Die Auferstehung der Rose

Freundin auf einen Augenblick! Ich will Ihnen eine Geschichte erzählen.

Ein Mann hatte eine Rose: diese Rose war seinem Herzen entsprossen. Stellen Sie sich vor, was für einen Schatz er in ihr sah, mit wie viel Hingabe er die Kostbarkeit pflegte, wie er die zarte geliebte Blume verehrte! Sie war ein Wunder Gottes! Die Rose war auch ein Vogel; sie plauderte sanft, und manchmal duftete sie unsagbar betörend wie ein geheimnisvoll süßer Strahl eines wohlriechendes Sterns.

Eines Tages flog der Engel Azrael über das Haus des glücklichen Mannes hin, und seine Augen hefeteten sich auf die Blume. Die Ärmste erzitterte, wurde traurig und fing an zu welken, denn der Engel Azrael ist der bleiche und unerbittliche Bote des Todes. Der sterbenden Blume blieb kaum noch Atem und Leben, und das Herz preßte sich dem zusammen, der in ihr sein Glück sah. Der Mann wandte sich an den lieben Gott und flehte:

«Herr, warum willst du mir die Blume wegnehmen, die du uns geschenkt hast?»

In seinen Augen glänzte eine Träne.

Der gütige Gott ließ sich von der väterlichen Träne erweichen und sagte:

«Azrael, lass diese Rose leben! Nimm statt ihrer irgendeine aus meinen blauen Gärten, wenn du willst.»

Die Rose erholte sich und erblühte zu neuem Zauber. An diesem Tag beobachtete ein Astronom von seinem Observatorium aus, daß ein Stern am Himmel erlosch.

— La ciudad encantada. Decía en tono de misterio mi tía Rosita. Y sus grandes ojos casi que miraban el fantasma de Logroño.

Nadie sabía cómo, pero en algún momento, la villa espléndida, construida con el oro de fabulosas minas y el sudor de incontables indios, desapareció sin dejar rastro. Claro que había, una forma de desencantarla: tres toques de la campana de su iglesia mayor, y todo aquel estupendo espejismo a veces lograba escaparse unos segundos del mundo de la fantasía y aparecer súbitamente ante los ojos deslumbrados del viajero, en mitad de la selva, sobre un río de esos cuyas orillas se perdían en la fábula, en la cumbre de una montaña nevada, en dondequiera.

¡Tres toques de esa quimérica campana, y toda esa formidable ensoñación volvería a ser una realidad!

— Pero, añadía la narradora, con acento fatalista, nadie ha logrado darlos.

Parece que cuando el presunto rompedor del hechizo descubría que el bejuco, la cuerda, la veta de los que se había aferrado en forma accidental, provocaban un sonido apocalípticamente fuerte — lo necesario como para echar por tierra una magia antigua y poderosa —, se apoderaba de él tan espantoso terror, que huía inmediatamente, y la ciudad dorada, que iba recobrando sus anchas calles con pavimento de mármol, sus iglesias de torres plateadas, sus casas palaciegas y sus habitantes envueltos en oro y pedrería, retornaba a la niebla del olvido.

— Ha pasado esto ya tantas veces, finalizaba la tía en tono de queja, que cada vez que alguien ve

Jorge Dávila Vázquez
Logroño

«Die verwunschene Stadt», sagte meine Tante Rosita mit geheimnisvoller Stimme. Fast hätten ihre großen Augen das gespenstischen Logroño gesehen.

Niemand weiß wie, aber irgendwann war die aus dem Gold unerschöpflicher Minen und mit dem Schweiß ungezählter Indios errichtete herrliche Stadt spurlos verschwunden. Natürlich gab es eine Möglichkeit, sie zu entzaubern:

Drei Glockenschläge der Hauptkirche – und schon entstieg vielleicht die schillernde Märchenwelt für einige Sekunden dem Reich der Phantasie und erschien plötzlich vor den geblendeten Augen des Reisenden mitten im Urwald über einem der Ströme, deren Ufer sich in der Sagenwelt, in den Gipfeln eines Schneeberges, oder sonst irgendwo verloren.

Drei Schläge mit der verwunschenen Glocke – und das ganze großartige Traumgebilde wurde wieder Wirklichkeit!

«Ja, aber niemand hat es bis jetzt fertiggebracht», fügte die Erzählerin schicksalergeben bei.

Es scheint allerdings möglich, den Zauber zu brechen, wenn ein zufälliger Reisender beim Anfassen einer Liane, einer Ranke oder Schlingpflanze ungewollt ein so lautes unheimlich abgründiges hohles Dröhnen auslöst, daß der mächtige uralte Bann zunichte wird. Aber dann wird der Reisende von Entsetzen ergriffen und flieht augenblicklich, und die soeben erstandene goldene Stadt mit ihren breiten marmorgepflasterten Straßen, ihren Kirchen mit den silbernen Türmen, ihren Palästen und ihren Bewohnern in den goldgewirkten und edelsteinbesetzten Gewändern entschwindet unverzüglich wieder im Nebel der Vergessenheit.

«Das hat sich schon so viele Male ereignet», schloß die Tante mit klagender Stimme, «daß Logroño bei jedem

a Logroño, es más fantasmal, más desvaída, y pronto nadie verá la ciudad encantada. Debe estar por desaparecer para siempre en el mundo de lo mágico.

Y a lo mejor su profecía se ha cumplido, pues hace ya como veinte años que murió ella, y después de eso, apenas en una ocasión oí hablar de la legendaria Logroño y quizás de una de sus últimas apariciones.

Medardo Fraile
Aclaración

Si digo *han robado en el Banco*, pueden creer que ha pasado algo así:

Bajó al Banco de la esquina a cambiar unos cheques de viaje y, cuando esperaba que el empleado le diera la cotización del cambio, vio entrar a dos tipos de mala catadura. Uno de ellos, con una chaqueta desfondada y vieja, sacó una pistola del bolsillo, se dirigió a la ventanilla del cajero, le apuntó a la cabeza y dijo en voz alta:

– Un momento nada más. Que no se mueva nadie, que vamos a hacer un trabajito.

El otro, con una bolsa de plástico en la mano, le dio una patada a una portezuela, pasó a las oficinas, se dirigió por dentro a la Caja como un rayo, y abrió la bolsa para coger y que le echaran billetes. Mientras los metía, gritó:

– ¡El director! ¿Dónde está el director? Nos lo llevamos de rehén.

Uno de los empleados, pálido y tembloroso, dijo:

– Ha salido un momentito a tomar un café.

– Entonces, te vienes tú con nosotros –, le respondió el intruso al pobre hombre, que se puso aún más pálido.

Auftauchen gespenstischer und verschwommener wirkt, und bald wird wohl niemand mehr die verwunschene Stadt sehen können. Sie wird wohl schon bald für immer im Reich der Sage verschwinden.»

Vielleicht hat sich ihre Vorhersage bereits erfüllt, denn sie starb vor etwa zwanzig Jahren, und seither habe ich kaum jemals noch vom sagenumwobenen Logroño und von einem möglicherweise letzten Auftauchen mehr reden hören.

Medardo Fraile
Klarstellung

Wenn ich von «Räubern in der Bank» rede, möchte man annehmen, daß sich ungefähr folgendes abgespielt hat:

Er ging zur Bank an der Ecke, um einige Reiseschecks einzulösen, und während er wartete, daß ihm der Beamte den Wechselkurs angebe, sah er zwei keineswegs vertrauenerweckende Gestalten hereinkommen. Einer trug eine alte Jacke mit herausgerissenem Futter, er zückte eine Pistole, ging zur Kasse und zielte auf den Kopf des Schalterbeamten.

«Nur einen Augenblick. Keine Bewegung. Von niemandem. Wir haben nur eine Kleinigkeit zu erledigen.»

Der andere hielt eine Plastiktasche in der Hand, stieß mit dem Fuß die Tür zu den Büroräumen auf, war von innen im Nu im Kassenraum und öffnete die Tasche, um Geldscheine hineinzustopfen oder sich hineinstopfen zu lassen. Derweil rief er laut:

«Der Direktor! Wo ist der Direktor? Wir nehmen ihn als Geisel mit.»

Einer der Angestellten stotterte bleich:

«Er ist zum Kaffee weggegangen.»

«Na schön, dann kommst du mit uns», befahl der Eindringling dem armen Kerl, der daraufhin noch bleicher wurde.

El de fuera le hizo una señal al que se movía por dentro y, en un segundo, estaban los dos de estampía fuera del Banco y doblaban la esquina atodo gas en un coche verde.

Hubo unos segundo de alivio, la gente empezó de nuevo a moverse y uno de los oficinistas escupió entre dientes:

– ¡La madre que los parió!

Si digo *han robado en el Banco*, no es eso lo que digo. Lo que quiero decir es que el Banco nos ha robado a los clientes pobres, a los que nos pasamos la vida haciendo cuentas y amasando empanadas con dos reales.

Eduardo Galeano
El miedo

Una mañana, nos regalaron un conejo de Indias. Llegó a casa enjaulado. Al mediodía, le abrí la puerta de la jaula.

Volví a casa al anochecer y lo encontré tal como lo había dejado: jaula adentro, pegado a los barrotes, temblando del miedo de la libertad.

Eduardo Galeano
Celebración de la risa

José Luis Castro, el carpintero del barrio, tiene muy buena mano. La madera, que sabe que él la quiere, se deja hacer.

El padre de José Luis había venido al río de la Plata desde una aldea de Pontevedra. Recuerda el hijo al padre, el rostro encendido bajo el sombrero panamá, la corbata de seda en el cuello del pijama celeste, y siempre, siempre contando his-

Der draußen gab dem anderen im Kassenraum ein Zeichen, und wie der Blitz waren beide aus der Bank draußen und in einem grünen Auto um die nächste Ecke verschwunden.

Es gab ein kurzes Aufatmen, und dann rührten sich die Leute allmählich wieder. Einer der Angestellten knirschte zwischen den Zähnen hervor:

«Verdammt die Mutter, die sie geboren hat!»

Wenn ich von «Räubern in der Bank» rede, so meine ich nicht das. Vielmehr will ich damit sagen, daß die Bank uns arme Kunden beraubt, die wir das ganze Leben lang rechnen müssen, um die paar Groschen für unser tägliches Brot zusammenzukratzen.

Eduardo Galeano
Die Angst

Eines Morgens bekamen wir ein Meerschweinchen geschenkt. Es kam in einem Käfig ins Haus. Am Mittag öffnete ich das Käfigtörchen.

Gegen Abend kam ich nach Hause und fand das Tierchen am gleichen Platz wie bei meinem Weggang: hinten im Käfig an die Stäbe gepreßt, zitternd aus Angst vor der Freiheit.

Eduardo Galeano
Das Lachen feiern

José Luis Castro, der Schreiner in unserem Stadtviertel, hat eine sehr gute Hand. Das Holz weiß, daß er es gern hat, und läßt sich bearbeiten.

José Luis' Vater war aus einem Dorf in Pontevedra an den Rio de la Plata gekommen. Der Sohn erinnerte sich an den Vater mit dem rotglühenden Gesicht unter dem Panamahut und der seidenen Krawatte um den Kragen des himmelblauen Schlafanzugs und an die lustigen Geschich-

torias desopilantes. Donde él estaba, recuerda el hijo, ocurría la risa. De todas partes acudían a reírse, cuando él contaba, y se agolpaba el gentío. En los velorios había que levantar el ataúd, para que cupieran todos — y así el muerto se ponía de pie para escuchar con el debido respeto aquellas cosas dichas con tanta gracia.

Y de todo lo que José Luis aprendió de su padre, eso fue lo principal:

— Lo importante es reír — le enseñó el viejo —. Y reír juntos.

Eduardo Galeano
Llorar

Fue en la selva, en la amazonia ecuatoriana. Los indios shuar estaban llorando a una abuela moribunda. Lloraban sentados, a la orilla de su agonía. Un testigo, venido de otros mundos, preguntó:

— ¿Por qué lloran delante de ella, si todavía está viva?

Y contestaron los que lloraban:

— Para que sepa que la queremos mucho.

Eduardo Galeano
Nochebuena

Fernando Silva dirige el hospital de niños, en Managua.

En vísperas de Navidad, se quedó trabajando hasta muy tarde. Ya estaban sonando los cohetes, y empezaban los fuegos artificiales a iluminar el cielo, cuando Fernando decidió marcharse. En su casa lo esperaban para festejar.

Hizo una última recorrida por las salas, viendo

ten, die er zu erzählen wußte. Wo er war, gab es immer etwas zu lachen, erinnerte sich der Sohn. Von überall her kamen die Leute, wenn er erzählte, und immer gab es ein Gedränge. Bei Totenwachen mußte man den Sarg aufrecht stellen, damit die Leute Platz hatten – so konnte der Tote stehend mit der gebührenden Ehrerbietung all den Geschichten zuhören, die so herrlich erzählt wurden.

Von allem, was José Luis von seinem Vater gelernt hatte, war das die Hauptsache:

«Wichtig ist, daß man lacht», hatte ihn der Alte gelehrt, «daß man gemeinsam lacht.»

Eduardo Galeano
Weinen

Es war im Amazonas-Urwald in Ecuador. Die Shuar-Indios weinten um eine sterbende Großmutter. Sie saßen neben ihr und weinten während ihrem Todeskampf. Ein Besucher, der aus einer anderen Welt gekommen war, fragte: «Warum weinen alle vor ihr, wenn sie doch noch am Leben ist?»

Alle Weinenden antworteten: «Damit sie merkt, daß wir sie sehr gern haben.»

Eduardo Galeano
Heiligabend

Fernando Silva ist der Leiter des Kinderkrankenhauses in Managua.

Am Heiligen Abend war er noch bis spät an der Arbeit geblieben. Schon knallten die Raketen, und die Feuerwerkskörper beleuchteten den Himmel, als Fernando beschloß, nach Hause zu gehen. Dort erwarteten ihn seine Angehörigen zum Fest.

Er machte nochmals einen Rundgang durch alle Kran-

si todo quedaba en orden, y en eso estaba cuando
sintió que unos pasos lo seguían. Unos pasos de
algodón: se volvió y descubrió que uno de los
enfermitos le andaba atrás. En la penumbra, lo
reconoció. Era un niño que estaba solo. Fernando reconoció su cara ya marcada por la muerte y
esos ojos que pedían disculpas o quizá pedían per-
miso.

Fernando se acercó y el niño lo rozó con la
mano:

– Decile a . . . – susurró el niño –. Decile a alguien, que yo estoy aquí.

Pere Gimferrer
Turismo interior

Algo tendría aquella nueva modalidad de organización turística – una de cuyas características
mayores era el secreto que envolvía sus activida-
des – cuando había conquistado a tantos de los
que me rodeaban. Opté por añadir mi nombre a
la relación de inscritos.

Inesperadamente la tarde del siguiente día fes-
tivo irrumpieron en mi casa dos enviados de la
organización. Muy amablemente me llevaron en
su coche hasta la Plaza del Duque.

– Mira – me dijeron –. Ésta es la Plaza del
Duque.

Paseé la mirada alrededor.

– Cierto. La Plaza del Duque.

Doblamos la esquina. Nos detuvimos ante el
segundo portal, con su verja de hierro labrado.

– Casa numero 23 de la calle Gonzaga, entre
Plaza del Duque y Avenida de San Mateo. Portal
con verja de hierro labrado.

kensäle, um zu sehen, ob alles in Ordnung sei, da spürte er auf einmal Schritte hinter sich, zarte Wattefüßchen, die ihm folgten. Er drehte sich um und sah, daß ein krankes Kind hinter ihm herging. Er erkannte es im Halbdunkel. Es hatte keine Angehörigen. Fernando schaute ihm ins Gesicht, das schon vom Tod gezeichnet war, und sah Augen, die um Entschuldigung baten, oder vielleicht nur um Erlaubnis.

Fernando ging zu ihm hin, und das Kind berührte ihn mit der Hand:

«Sag dem ...», flüsterte es, «sag jemandem, daß ich hier bin.»

Pere Gimferrer
Ferienreise ins Innere

Etwas mußte es mit dem neuartigen Reiseunternehmen auf sich haben – eine seiner Besonderheiten war das Geheimnis, das seine Anlässe umwitterte –, wenn so viele Leute aus meiner Umgebung sich davon hatten begeistern lassen. Ich beschloß, mich auch als Mitglied einzuschreiben.

Unverhofft holten mich am nächsten Feiertag zwei Beauftragte des Unternehmens nach dem Essen zu Hause ab. Sehr liebenswürdig fuhren sie mich in ihrem Wagen zur Plaza del Duque.

«Schau», sagten sie zu mir, «das ist die Plaza del Duque.»

Ich blickte rundherum:

«Richtig. Plaza del Duque.»

Wir gingen um die Ecke. Beim zweiten Haus blieben wir stehen. Es hatte ein schmiedeeisernes Tor.

«Haus Nummer 23 der Calle Gonzaga zwischen Plaza del Duque und Avenida de San Mateo. Tor aus Schmiedeeisen.»

La examiné unos instantes y asentí. Acariciando la verja con las manos, musité:

— Calle Gonzaga, 23. Histórica verja.

Caía la tarde. Los castaños estaban muy melancólicos.

— Cae la tarde — me dijeron —. Es hora de volver a casa.

Y luego:

— Mira. Ésta es tu casa.

— Notable, notable.

Ascensor arriba. Y entonces:

— La butaca donde te sientas cada tarde.

— El periódico que lees.

— ¡Pero qué cuarto, vaya!

— Tu mesita de noche.

— Tu espejo.

— Tú.

Se despidieron. Pocas veces di el dinero por tan bien empleado. Aún ahora muchas noches sueño con aquel viaje.

Ramón Gómez de la Serna
El ladrón cauto

Llamaba a la puerta de la casa que creía abandonada, y si respondían a su llamada, entregaba el cuaderno de una novela por entregas como si fuese propagandista de una casa editorial.

Pero una vez después de comprobar que no había nadie en casa, se llevó un gran susto al ver que de la cama de una alcoba interior se levantaba un bulto airado, que después se dividió en nueve gatos que huyeron.

Por causa de aquel susto dejó de ser ladrón.

Ich schaute es einige Zeit an und nickte zustimmend. Ich strich mit der Hand über das Gitter und sagte:

«Calle Gonzaga 23, historisches Gittertor.»

Es dämmerte. Die Kastanienbäume sahen melancholisch aus.

«Es dämmert», sagten sie zu mir, «es ist Zeit heimzugehen.»

Und dann:

«Schau, da bist du zu Hause».

«Bemerkenswert, bemerkenswert.»

Mit dem Aufzug nach oben, und dann:

«Der Lehnstuhl, wo du jeden Abend sitzt.»

«Die Tageszeitung, die du immer liest.»

«Bei Gott, was für ein Zimmer!»

«Dein Nachttischchen.»

«Dein Spiegel.»

«Du.»

Sie verabschiedeten sich. Selten fand ich mein Geld so gut angelegt. Noch heute träume ich manche Nacht von dieser Reise.

Ramón Gómez de la Serna
Der vorsichtige Dieb

Er läutete immer zuerst an der Haustür, wenn er vermutete, es sei niemand daheim. Wurde ihm dann doch aufgemacht, gab er die Broschüre für einen Fortsetzungsroman ab, als ob er Reklame für ein Verlagshaus machte.

Aber einmal packte ihn ein heilloser Schreck: nachdem er festgestellt hatte, daß niemand im Hause war, erhob sich plötzlich aus einem Bett in einem hinteren Schlafzimmer ein fauchender Haufen, der sich in neun fliehende Katzen aufteilte.

Nach diesem Schreck ließ er das Stehlen bleiben.

El doctor Alejo murió asesinado. Indudablemente murió estrangulado.

Nadie había entrado en la casa, indudablemente nadie, y aunque el doctor dormía con el balcón abierto, por higiene, era tan alto su piso que no era de suponer que por allí hubiese entrado el asesino.

La policía no encontraba la pista de aquel crimen, y ya iba a abandonar el asunto, cuando la esposa y la criada del muerto acudieron despavoridas a la Jefatura. Saltando de lo alto de un armario había caído sobre la mesa, las había «mirado», las había «visto», y después había huido por la habitación, una mano solitaria y viva como una araña. Allí la habían dejado encerrada con llave en el cuarto.

Llena de terror, acudió la policía y el juez. Era su deber. Trabajo les costó cazar la mano, pero la cazaron y todos le agarraron un dedo, porque era vigorosa como si en ella radicase junta toda la fuerza de un hombre fuerte.

¿Qué hacer con ella? ¿Qué luz iba a arrojar sobre el suceso? ¿Cómo sentenciarla? ¿De quién era aquella mano?

Después de una larga pausa, al juez se le ocurrió darle la pluma para que declarase por escrito. La mano entonces escribió: «Soy la mano de Ramiro Ruiz, asesinado vilmente por el doctor en el hospital y destrozado con ensañamiento en la sala de disección. He hecho justicia».

Ramón Gómez de la Serna
Die Hand

Doktor Alejo starb von Mörderhand. Zweifellos wurde er erwürgt.

Niemand war ins Haus hereingekommen, zweifellos niemand. Zwar schlief der Doktor aus gesundheitlichen Gründen bei offenem Fenster, doch seine Wohnung war so hoch oben, daß der Mörder unmöglich dort einsteigen konnte.

Die Polizei fand keine Spur für das Verbrechen und wollte den Fall schon beiseite legen, als die Gattin und das Dienstmädchen des Toten ganz aufgelöst vor Entsetzen auf der Hauptwache erschienen. Von einem Schrank herab war eine einzelne Hand herabgesprungen und auf den Tisch gefallen, hatte sie «angeschaut», hatte sie «gesehen» und war dann ganz allein, ganz lebendig wie eine Spinne durch das Zimmer gehuscht. Dort war sie nun hinter Schloß und Riegel eingesperrt.

Polizei und Richter waren entsetzt, aber sie kamen, das war ihre Pflicht. Es kostete sie einige Mühe, die Hand zu fangen, aber sie erwischten sie, und jeder packte sie an einem Finger, denn sie war sehr stark, als wäre die ganze Kraft eines vierschrötigen Mannes in ihr versammelt.

Was tun mit ihr? Welches Licht konnte sie auf den Vorfall werfen? Wie sollte man sie aburteilen? Wem hatte diese Hand gehört?

Nach einer langen Pause kam der Richter auf die Idee, ihr eine Feder zu geben, damit sie schriftlich aussage. Daraufhin schrieb die Hand: «Ich bin die Hand des Ramiro Ruiz, der in niederträchtiger Weise vom Spitalarzt ermordet und blutgierig im Seziersaal zerstückelt wurde. Ich habe Gerechtigkeit geübt.»

Yo, que subía solo hacia la cima, huyendo de la soledad de mi huerto, me revolví ante aquel grito de despedida invisible que inficionó de tristeza toda la tranquilidad del domingo. Era de una pena y creí de momento que era de un gozo.

– ¡Adiós!, María ... ¡Adiós!, Maríííа ... ¡A-diós!, Maríííía ...

Tan alto era el grito, que un palmero en función, se quedó con un dátil en la mano mirando más arriba de donde yo estaba de oro por ver si lo veía.

– ¡Adiós, Maríííía! ...

Tan sin viento el viento, tan sola la palabra, formaba por cada vez que era pronunciada, un ángulo agudo con el vértice en la «í», cebada en sí, irritada en sí, multiplicada en sí, hasta descender como sobre una lágrima, buscando descanso, sobre la «a».

Por los prados huérfanos, mondos, de rejas paradas, sin ningún hortelano llegado a su espera, los caminos magníficos de polvo relumbrante la vocal geometría avanzaba, corrental, reja, queriendo mares, surcos.

– ¡Adiós!, María ...

Le faltaba voz a la voz, a su garganta. Al dueño se le sublevarían las venas del cuello, rojas y bellas como la hierba de la sangre.

El monte devolvía a la voz su voz; y a mí la voz me daba su voz, monte su fantasma y mi audición su sentimiento.

¿A quién despedía? ¿Hermana, madre, novia, hija Novia, no. Que la voz era tan femenia como la última palabra, malherida.

Vi una cruz deslumbrada en aquel sol de igle-

Miguel Hernández
Leichnam, sonntäglich

Ich stieg allein den Hügel hinauf, entfloh der Einsamkeit
meines Pflanzgartens, als ich auf einen unsichtbaren Ab-
schiedsruf hin, der die sonntägliche Stille traurig stimmte, stehen blieb und mich umdrehte. Es war ein leidvoller
Ruf, der mir einen Augenblick lang freudvoll vorgekommen war.

«Adiós, Maria! ... Adiós, Maria! ... Adiós, Maria. ... !»

So laut war der Ruf, daß der Dattelpflücker mit einer
Dattel in der Hand hoch oben auf der Palme, weiter oben
als wo ich in der Sonne stand, Ausschau hielt, ob er etwas
erblicke.

«Adiós, Mariiiia ... !»

Ganz ohne Wind der Wind, ganz allein das Wort, und
bei jedem Mal, da es ausgesprochen wurde, bildete das
«i» einen spitzen Winkel mit dem Abhang, blähte sich
auf, zitterte in sich, vervielfachte sich, um dann wie auf
einer Träne auf das «a» hinabzugleiten und einen Ruhe-
punkt zu suchen.

Über die verwaisten kahlen Felder mit den untätigen
Rechen, die vergeblich auf das Kommen eines Bauern warteten, auf den herrlichen Wegen mit dem schimmernden
Staub wanderte der scharfkantige Vokal schneidend weiter,
riß Furchen auf und suchte nach Meeren.

«Adiós, Maria ... !»

Der Stimme gebrach es an Stimme, an Kehle. Ihrer
Besitzerin mußten die Halsadern angeschwollen sein, rot
und schön wie Blutkraut.

Der Hügel gab der Stimme ihre Stimme zurück; mir
schenkte die Stimme ihre Stimme, der Hügel ihre unsicht-
bare Gestalt und meine Gehörsempfindung ihr Gefühl.

Wem galt der Abschied? Der Schwester, der Mutter, der
Braut, der Tochter? Der Braut nicht, denn die Stimme war
weiblich wie das letzte Wort, und ebenso verwundet.

Ich sah ein Kreuz aufblitzen in der kirchlich festlichen

sia. Por una senda llegaba «María» con los pies
por delante.

María era el muerto dominical que hoy me
hace eco, repetir la pena creadora de las palabras:
¡Adiós!, María.

Miguel Hernández
Chiquilla, popular

Le pregunto a la pobre chiquilla pobre, de sonrisa
anochecida por una mella y su madre, aunque
más por el estío y la penumbra de cortinas de mi
casa, quién es su padre. Y me responde, ense-
ñando su lengua como una vergüenza larga, los
ojos atropellados, sobre la voz caída:
— Creo que uno, hombre rico, que tiene una
fábrica de telas donde mi madre dice que traba-
jaré, en seguida que sea grande.

Y un dedo suyo, con la uña pastada constan-
temente por el rebaño tierno de su dentadura,
indaga y delata miseria jugando nervioso en
¡cuántos! rotos y remiendos de su bata, breve por
necesidad.

Arturo del Hoyo
En la glorieta

Sentado en un banco de la glorieta. Esos niños
juegan a tres en raya; a veces paran de jugar,
sofocados. En otro banco, las madrecitas tejen y
hablan, se miran, vigilan a los niños. La tarde es
un piar constante de pájaros, un revoloteo infan-
til, una pronta lana materna, un estruendo de
camiones y autobuses que bordean la glorieta.
El viejo está solo en su banco. Algunos que

Sonne. Den Pfad herauf kam «Maria», mit den Füßen voran.

Maria war der sonntägliche Leichnam. Noch heute drängt es mich, die Schöpferkraft des Leids in den Worten «Adiós, Maria» wiederholend festzuhalten.

Miguel Hernández
Mädchen, volkstümlich

Als ich das nette arme Mädchen frage, wer sein Vater sei, verfinstert sich sein Lächeln durch eine Zahnlücke und durch seine Mutter, aber noch mehr durch das sommerliche Halbdunkel hinter den Vorhängen in meinem Haus. Als Antwort streckt es seine Zunge in voller schamloser Länge heraus und antwortet mit rollenden Augen:

«Ich glaube, es ist ein – ein reicher Mann, der eine Textilfabrik hat, und dort, sagt meine Mutter, werde ich einmal arbeiten, wenn ich groß bin.»

Ein schwarzer Fingernagel fährt erst unausgesetzt über die zarte Reihe der Milchzähne und bohrt dann nervös spielend in den – ach, wie vielen! – Rissen und Flicken seines aus Not zu kurzen Schürzenkleidchens, Elend verratend.

Arturo del Hoyo
Im kleinen Park

Er sitzt auf der Bank im kleinen Park. Die Kinder spielen Zwei-Mann-hoch; manchmal bleiben sie atemlos stehen. Auf einer anderen Bank stricken und plaudern die Mütter, schauen einander zu, überwachen die Kinder. Der Nachmittag ist von Vogelgezwitscher und Kinderlärm, von flinken mütterlichen Stricknadeln und vom Dröhnen der großen Autos beherrscht, die um die Rondelle fahren.

Der alte Mann sitzt allein auf seiner Bank. Der eine oder

pasan hacen como que se van a sentar junto a él, pero cambian de idea; siguen su camino, pausadamente, arrastrando los pies. Un chiquillo llega corriendo y se esconde detrás del viejo, entre el seto de aligustre y el espaldar del banco.

El viejo del banco no dice nada, no se mueve. Suena la respiración nerviosa del chico. Y en otro rincón de la glorieta, otro chico, de espaldas, apoyada su frente en el tronco de un árbol, cuenta de corrido y en voz alta: «Uno, dos, tres, cuatro, cinco, seis, siete, ocho, nueve, diez.» Y se vuelve. Mira rápido a todas partes; recorre la glorieta, buscando a su compañero. Grita:

– Sé dónde estás.

– No diga nada; no diga usted nada.

El viejo del banco no dice nada. Está quieto, enteramente quieto, y no descubre a su pequeño aliado.

Los pájaros están chillando ahora su gran miedo a que la tarde se va, a que el sol se pone, a la próxima llegada de lo oscuro.

Todas las tardes viene el viejo a la glorieta y se sienta en ese banco a ver jugar a los niños, pasar la gente, sentir el latido de la vida. Ha sido pastor, soldado, prisionero y muchas otras cosas. Siempre le tocó demasiado tarde para lo bueno de la vida. Está solo. Nadie quiere sentarse en su banco, junto a él.

El otro chico grita otra vez:

– ¡Sé dónde estás!

– ¡No diga usted nada!

Aumentan el chillar de los pájaros y el estruendo de los camiones y autobuses. El cielo tiene sus últimos arreboles sucios de ciudad.

El chico que está escondido detrás del banco del viejo se llama Carlos; el otro se llama Luis. Carlos es más valiente que Luis. Está viendo su propio

andere tut im Vorbeigehen so, als wolle er sich neben ihn setzen, ändert dann aber seine Absicht; alle gehen gemächlich und mit schleppenden Schritten weiter. Ein Junge rennt herbei und versteckt sich hinter dem alten Mann zwischen der Banklehne und dem Ligusterstrauch.

Der Alte auf der Bank sagt nichts und rührt sich auch nicht; man hört nur den hastigen Atem des Jungen. In einem anderen Winkel des kleinen Parks lehnt ein anderer Junge seine Stirn an einen Baumstamm und zählt laut und schnell ab: «Eins, zwei, drei, vier, fünf, sechs, sieben, acht, neun, zehn.» Er dreht sich um, schaut rasch nach allen Seiten, rennt durch den Park und sucht seinen Kameraden. Er ruft:

«Ich weiß, wo du bist.»

«Sagen Sie nichts. Sagen Sie, bitte, nichts.»

Der Alte auf der Bank sagt nichts, er bleibt ruhig sitzen, vollkommen ruhig, und verrät seinen kleinen Schützling nicht.

Die Vögel zwitschern nun ihre große Angst vor dem versinkenden Abend hinaus, vor dem Verschwinden der Sonne, vor der nahenden Dunkelheit.

Jeden Nachmittag kommt der alte Mann in den kleinen Park und setzt sich auf diese Bank, um den spielenden Kindern und den Spaziergängern zuzuschauen und das pulsierende Leben zu spüren. Er ist Hirt gewesen, Soldat, Häftling und vieles mehr. Immer ist er zu spät gekommen für das Glück im Leben. Er ist allein. Niemand will sich zu ihm auf die Bank setzen.

Der andere Junge ruft wieder:

«Ich weiß, wo du bist.»

«Sagen Sie nichts!»

Das Vogelgezwitscher wird lauter, das Dröhnen der Lastwagen und Autobusse stärker. Am Himmel stehen die schmutzigen Stadtwolken im letzten Abendrot.

Der Junge, der sich hinter dem Alten auf der Bank versteckt hat, heißt Carlos; der andere Luis. Carlos ist mutiger als Luis. Er spürt seinen eigenen Mut, als er aus

valor, desde su escondite, a hurtadillas, en la cara asustada de Luis. Se sabe más valiente que Luis, más valiente que nadie en la glorieta. Por eso está escondido detrás del banco del viejo. Desde que comenzó el verano, desde que, a veces, en medio de los juegos, tropezaba con la mirada del viejo, Carlos supo que podía confiar en él. Era la suya una mirada tranquila, empañada. Sie se le miraba a los ojos, se veía que se podía confiar en él: ojos pequeños como pedrezuelas de río, lavadas mil veces, siempre húmedas. El viejo no dirá nada, no hubiera dicho nunca nada. Carlos sale de su escondite. Carlos es valiente. Se sienta junto al viejo para que no se desplome. Carlos le dice a Luis:

– Llama al guarda. Corre.

Arturo del Hoyo
El triste

Comí de las ciruelas, porque no dijeran. Reían, y yo también me puse a reír, aunque mi corazón de niño estaba triste. Salté, ellos saltaban, y tiré cosas por el balcón, ya que a ellos les gustaba hacerlo. Luego jugamos en el pasillo, si bien yo hubiera preferido ver cómo jugaban los otros. Más tarde dijeron: «Vamos a jugar a la oca.» Y cuando estuve sentado, la silla, que estaba rota, me hizo rodar por el suelo.

Reían la broma con grandes risas y me miraban con los ojos congestionados por aquel triunfo. Yo, en el suelo, reí como ellos, aunque mi corazón de niño estaba triste.

seinem Versteck verstohlen in Luis' verstörtes Gesicht blickt. Er weiß, daß er mutiger ist als Luis, mutiger als alle im Park. Darum hat er sich hinter der Bank des alten Mannes versteckt.

Seit Anfang des Sommers, seit ihre Blicke sich manchmal mitten im Spiel trafen, wußte Carlos, daß er dem Alten vertrauen konnte. Er hatte ruhige, etwas verschleierte Augen. Wenn man hineinsah, wußte man, daß man ihm vertrauen konnte, denn die kleinen Augen waren tausendfach gewaschen wie Bachkiesel und immer feucht. Der Alte wird nichts sagen, er hätte nie etwas gesagt. Carlos kommt aus seinem Versteck heraus. Carlos ist tapfer. Er setzt sich neben den Alten, damit er nicht hinunterfällt. Zu Luis sagt er nur:

«Rufe den Aufseher. Schnell!»

Arturo del Hoyo
Bekümmernis

Ich aß von den Pflaumen, damit niemand etwas sagen könne. Es wurde gelacht, und ich lachte mit, aber mein Kinderherz war bekümmert. Ich hüpfte, die anderen hüpften, ich warf Sachen zum Balkonfenster hinaus, denn die anderen fanden das lustig. Dann spielten wir im Flur, obwohl ich lieber den anderen beim Spielen zugeschaut hätte. Später sagten sie: «Kommt, wir machen das Gänsespiel.» Ich setzte mich auf den Stuhl, ohne zu merken, daß er gebrochen war, und purzelte auf den Boden.

Alle lachten schallend über den Spaß, und ihre Freudentränen über den Triumph verschleierten ihnen die Augen, als sie mich ansahen. Ich lachte auf dem Boden mit, aber mein Kinderherz war bekümmert.

Calle abajo, llegó primero, cantando el joven, un hombre alto, delgado y cobrizo, de barba y melenas de años, mugriento hasta la confusión total. Cantaba flamenco. Al principio nadie le hizo caso y él no cojió una perra. Luego, uno a quien le gustó aquello, le tiró de un balcón unas cuantas perras que sonaron. Y el hombre, animado, empezó a sacar la copla de más hondo y a jalearse y a adornarse, en una exhibición de suciedades.

Calle arriba venía el viejo, chiquito y seco, sonriendo, colilla pegada al labio, ojo limoso, envuelto el torso en una manta chica, amarilla de orín la portañuela, con un bastoncito. Al llegar frente al cantor, se le quedó mirando estasiado con su voz y su garbo. Y para que no tuviera que quebrar la copla, o por entusiasmo, o por otra mira más interesada, se puso a pedir, sombrero en mano, para el que cantaba.

Cojió y cojió dinero – el otro no le quitaba el ojo de encima –, arriba, abajo, alrededor, de balcones y coches que pasaban. Luego, se fue al otro, que acababa una sarta de sonoridades lastimeras y le echó el raudal de cobre en la mano, con una cara arrobada.

El sucio, entonces, le largó un retorcido brindis de gracia podrida y absurda, y quebrándose, y haciéndole una profunda reverencia, gorra mugrienta en mano, salió trotando, sin darle una perra al pobrecito, calle abajo. Y el viejecito triste, aún sonriendo, se fue despacio, calle arriba, tirando de su colilla apagada y pidiendo, ya casi sin atreverse, de tarde en tarde, y con la seguridad anticipada de no cojer perra para sí, y la luna estaba ya saliendo de la noche sola.

Juan Ramón Jiménez
Zweierlei Sonntag

Die Straße herab kam zuerst der junge Mann; er war
großgewachsen, mager und kupferhäutig, Bart und Haar-
schopf waren seit Jahren nicht mehr gewaschen und geschnitten und völlig unentwirrbar. Er sang Flamenco-Lie-
der. Am Anfang achtete niemand auf ihn, und er bekam
keinen Batzen. Dann fand jemand Gefallen und warf ihm
vom Balkon herab ein paar Münzen zu. Das Klingeln
feuerte ihn an, er holte seine Lieder aus größeren Tiefen,
schmückte sie aus und gefiel sich in Anzüglichkeiten.

Die Straße herauf kam der alte Mann klein, dürr,
lächelnd, einen Zigarettenstummel zwischen den Lippen, das Auge tränend, eine zu kleine Decke um den Leib,
der Hosenschlitz gelb vom Urin, einen dünnen Stock in
der Hand. Als er vor dem Sänger stand, bewunderte er,
selbstvergessen auf den Stock gestützt, dessen Stimme
und Gebärden. Um das Lied nicht zu unterbrechen, oder
aus Begeisterung, oder vielleicht aus Eigennutz nahm er
seinen Hut und ging für den Sänger Geld sammeln.

Er nahm noch und noch Geld ein – der andere ließ kein
Auge von ihm – oben, unten, rundherum, von den Balko-
nen, aus den vorbeifahrenden Wagen. Dann ging er zum
anderen hin, der eben mit einer Perlenkette von Klagetö-
nen geendet hatte, und schüttete ihm den ganzen Haufen
Kupfermünzen mit entrücktem Gesicht in die Hand.

Der Schmutzige bedankte sich mit überschwenglich ge-
wundenen Huldigungen, elegant gemeint, aber nur unan-
gebracht schmuddelig, verbeugte sich mit dem Hut in der
Hand bis auf den Boden und trottete die Straße hinab davon, ohne dem armen Männchen einen Batzen abzugeben.
Der Alte ging traurig, aber lächelnd langsam die Straße
hinauf, zog hie und da am erloschenen Zigarettenstummel
und getraute sich kaum, dann und wann die Hand auszu-
strecken, wohl wissend, daß für ihn keine Münze abfiele
– und schon ging der Mond in der einsamen Nacht auf.

Al niño chico lo ha despertado en la cuna un rayito de sol que entra en el cuarto oscuro de verano por una rendija de la ventana cerrada.

Si se hubiera despertado sin él, el niño se habría echado a llorar llamando a su madre. Pero la belleza iluminada del rayito de sol le ha abierto en los mismos ojos un paraíso florido y májico que lo tiene suspenso.

Y el niño palmotea, y ríe, y hace grandes conversaciones sin palabras, consigo mismo, cojiéndose con las dos manos los dos pies y arrullando su delicia.

Le pone la manita al rayo de sol; luego, el pie – ¡con qué dificultad y qué paciencia! –, luego la boca, luego un ojo, y se deslumbra, y se ríe refregándoselo cerrado y llenándose de baba la boca apretada. Si en la lucha por jugar con él se da un golpe en la baranda, aguanta el dolor y el llanto y se ríe con lágrimas que le complican en iris preciosos el bello sol del rayo.

Pasa el instante y el rayito se va del niño, poco a poco, pared arriba. Aún lo mira el niño, suspenso, como una imposible mariposa, de verdad para él.

De pronto, ya no está el rayo. Y en el cuarto oscuro, el niño – ¿qué tiene este niño, dicen todos corriendo, qué tendrá? – llora desesperadamente por su madre.

Juan Ramón Jiménez
Ein feiner Sonnenstrahl

Das Bübchen ist in seiner Wiege von einem dünnen Sonnenstrahl geweckt worden, der durch eine Ritze im verschlossenen Fenster ins dunkle Zimmer dringt.

Wäre das Kind ohne Sonnenstrahl erwacht, hätte es zu
schreien begonnen, um die Mutter herbeizurufen. Aber
die lichte Schönheit des Sonnenstrahls hat in den Augen
des Kindes ein üppiges Blumenparadies aufgetan, das seine Aufmerksamkeit fesselt.

Das Bübchen klatscht in die Händchen, lacht und plau-
dert lange wortlos mit sich selbst, packt mit beiden Händchen seine Füße und gluckst und quietscht vor Vergnügen.

Es hält sein Händchen in den Sonnenstrahl, dann das
Füßchen – mit wieviel Mühe und Geduld! – dann den
Mund, dann ein Auge, wird geblendet, reibt lachend das
geschlossene Lid, während sein zugekniffener Mund sich
mit Speichel füllt. Wenn es in seinem Wetteifer mit dem
Sonnenstrahl gegen das Geländer stößt, verbeißt es den
Schmerz und schreit nicht, lacht vielmehr mit Tränen in
den Augen, welche den Sonnenstrahl in die wunderschönen Farben eines kostbaren Regenbogens auflösen.

Der Augenblick ist vorüber, der Sonnenstrahl wandert
langsam vom Kind weg der Wand entlang hinauf. Noch
schaut ihm das Bübchen neugierig nach wie einem unwirk-
lichen Schmetterling, den es als echt empfindet.

Auf einmal ist der Strahl weg. Im dunklen Zimmer
schreit das Kind – «was hat es denn nur?» sagen alle im
Herbeieilen, «was hat es wohl?» – schreit verzweifelt nach
seiner Mutter.

Antonio Machado
Don Nadie en la corte
Boceto de una comedia en tres actos de Juan de Mairena

Acto primero, Escena única
Un señor importante. Claudio (su criado)

S. I. – Dime, Claudio, ¿quién estuvo aquí esta mañana?
C. – Uno que preguntaba por usted.
S. I. – Pero ¿quién era?
C. – Uno.
S. I. – ¿No dijo cómo se llamaba?
C. – ¡Qué memoria tengo! Me dio esta tarjeta.
S. I. – (Leyendo). «José María Nadie. Del comercio.» (A Claudio) Si vuelve, que pase.

Telón

Acto segundo, Escena única
Señor importante. Claudio.

S. I. – ¿No ha vuelto don José María Nadie?
C. – No, que yo sepa.
S. I. – ¿Nadie más ha preguntado por mí?
C. – Nadie.
S. I. – ¿Nadie?
C. – Nadie.

Telón

Acto tercero, Escena única
Señor importante. Claudio. Un espejo de tocador, que hace cuanto indica el diálogo.

S. I. – Dime, Claudio, ¿qué le pasa a este espejo?
80 C. – ¿Qué le pasa?
81 S. I. – Cuando voy a mirarme en él da una vuelta

Antonio Machado
Herr Niemand am Hof
Skizze für ein Lustspiel in drei Akten von Juan de Mairena

Erster Akt, Einzige Szene
Ein wichtiger Herr. Claudio (sein Diener)

Wichtiger Herr: Sag mir, Claudio, wer ist heute früh hier
gewesen?
Claudio: Ein Mann hat nach Ihnen gefragt.
W.H.: Aber wer war es?
C.: Ein Mann.
W.H.: Hat er nicht gesagt, wie er heißt?
C.: Ach, mein Gedächtnis! Er gab mir dieses Kärtchen.
W.H. (liest): «José Maria Niemand. Vom Ladengeschäft.»
(Zu Claudio) Wenn er wieder kommt, so lass ihn herein.

Vorhang

Zweiter Akt, Einzige Szene
Wichtiger Herr. Claudio

W.H.: Ist José Maria Niemand nochmals gekommen?
C.: Nicht daß ich wüßte.
W.H.: Niemand hat nach mir gefragt?
C.: Niemand.
W.H.: Niemand?
C.: Niemand.

Vorhang

Dritter Akt, Einzige Szene
Wichtiger Herr. Claudio. Ein Toilettenspiegel, der aus-
führt, was im Dialog angegeben ist.

W.H.: Sag mir, Claudio, was ist mit diesem Spiegel?
C.: Was ist denn mit ihm?
W.H.: Wenn ich hineinschauen will, macht er eine Um-

de campana – ¿ves? –, y me presenta su revés de madera.

C. – Es verdad. Pues ¡es gracioso!

S. I. – Luego – míralo – vuelve a su posición normal, sin que nadie le toque. Prueba tú a mirarte.

C. – ¡Quieto! Conmigo no se mueve, señor. Pruebe usted ahora.

S. I. – ¡Quieto! ¡Otra vez! (Furioso) ¡Juro a Dios!

C. – ¡Tiene gracia!

S. I. – ¡Maldita! (Con voz ronca) Claudio, ¿quién estuvo aquí esta mañana?

C. – Esa mañana estuvo aquí don José María Nadie. Se marchó, cansado de esperarle a usted, y dijo que no volvía más.

Telón

Antonio Machado
Mairena, examinador

Mairena era, como examinador, extremadamente benévolo. Suspendía a muy pocos alumnos, y siempre tras exámenes brevísimos. Por ejemplo:

– ¿Sabe usted algo de los griegos?

– Los griegos ..., los griegos eran unos bárbaros ...

– Vaya usted bendito de Dios.

– ¿...?

– Que puede usted retirarse.

Era Mairena – no obstante su apariencia seráfica – hombre, en el fondo, de malísimas pulgas. A veces recibió la visita airada de algún padre de familia que se quejaba, no del suspenso adjudicado a su hijo, sino de la poca seriedad del examen. La escena violenta, aunque también rápida, era inevitable.

drehung – siehst du? – und zeigt mir seine hölzerne Rückseite.

C.: Tatsächlich. Das ist lustig.

W.H.: Da, schau, er dreht sich auf die Vorderseite, ohne
daß jemand ihn anrührt. Versuch nun du hineinzuschauen!

C.: Ruhig! Bei mir dreht er sich nicht um. Versuchen Sie
es nun!

W.H.: Ruhig! Schon wieder! (Wütend) Ich schwöre!

C.: Das ist lustig!

W.H.: Verflucht! (Mit heiserer Stimme) Claudio, wer war
heute früh hier?

C.: Heute früh ist Herr José Maria Niemand hier gewesen.
Er ging weg, als es ihm zu langweilig wurde, auf Sie zu
warten, und er sagte, er komme nicht mehr.

Vorhang

Antonio Machado
Juan de Mairena als Prüfer

Mairena war ein ausgesprochen milder Prüfer. Er ließ nur
sehr wenige Prüflinge durchfallen und diese immer nach
ganz kurzen Prüfungen. Zum Beispiel:

«Wissen Sie etwas über die Griechen?»

«Die Griechen ... die Griechen waren so ein Barbaren-
volk ...

«Na, gehen Sie schon, Sie Gotteskind.»

«...?»

«Sie dürfen gehen.»

Mairena war trotz seines gutmütigen Aussehens im
Grunde genommen ein Mann, mit dem nicht gut Kirschen
essen war. Gelegentlich kam ein zorniger Familienvater zu
ihm und beklagte sich mehr über den mangelhaften Ernst
der Prüfung als über den Entscheid, sein Sohn habe nicht
bestanden. Eine heftige, obgleich ebenfalls kurze Ausein-
andersetzung war die unvermeidliche Folge.

– ¿Le basta a usted ver a un niño para suspenderlo? – decía el visitante, abriendo los brazos con ademán irónico de asombro admirativo.

Mairena contestaba, rojo de cólera y golpeando el suelo con el bastón:

– ¡Me basta ver a su padre!

Luis Mateo Díez
Sopa

Durante seis años estuve comiendo en el mismo restaurante. Uno de esos establecimientos económicos, donde la perseverancia sólo es recompensada por la comodidad de no tener que andar decidiendo cada día dónde cumple uno ese trámite imprescindible. Hay estómagos que no buscan especiales compensaciones, y el mío era uno de ellos. Durante esos seis años comí todos los días de primer plato una sopa de la casa, amarillenta y confusa, en la que navegaban, desconfiados, algunos fideos. El día que cerró aquel establecimiento, en el que yo con otra media docena de habituales, festejé la melancólica despedida sorbiendo la última sopa, comiendo el último bistec y agradeciendo el brindis lloroso del dueño con un champán de ínfima marca, una extraña pena dominó mi ánimo. Nunca había sentido, en mis solitarias colaciones, ninguna solidaridad con los otros habituales del Cifuentes, ni con su dueño, ni con los camareros, ni con Rosina, la cocinera, a quien vi por primera vez el día del cierre, sosteniendo trémula su copa de burbujas.

Los dos años siguientes fueron devastadores para mi estómago y para mi equilibrio emocional, pues comprobé que entre uno y otro había una

«Genügt es Ihnen eigentlich, ein Kind anzuschauen, um es auch schon durchfallen zu lassen?» fragte der Besucher und öffnete die Arme mit einer Bewegung, die zugleich Erstaunen und Spott ausdrückte.

Mairena schlug rot vor Zorn mit dem Stock auf den Boden: «Es genügt mir, seinen Vater anzuschauen!»

Luis Mateo Díez
Suppe

Sechs Jahre lang habe ich in der gleichen Gaststätte zu Mittag gegessen, in einem der preisgünstigen Lokale, deren einziger Lohn für treue Kundschaft die Bequemlichkeit ist, sich nicht jeden Tag entscheiden zu müssen, wo das unumgängliche Bedürfnis zu stillen sei. Es gibt Mägen, die keine besonderen Ansprüche stellen, und meiner gehörte dazu. In all diesen sechs Jahren aß ich Tag für Tag vor dem Hauptgericht eine «Haussuppe», eine gelbliche undurchsichtige Brühe, in der ein paar verirrte Nudelchen schwammen. Als ich bei der Schließung mit einem halben Dutzend Stammgästen wehmütig Abschied feierte und zum letzten Mal die Suppe schlürfte, das Schnitzel kaute und mich beim Anstoßen mit dem billigen Schaumwein beim Besitzer bedankte, der den Tränen nahe war, überkam auch mich eine eigenartige Rührung.

Niemals hatte ich mich mit den anderen Stammgästen im «Cifuentes» irgendwie verbunden gefühlt, wenn ich allein an meinem Tisch aß, auch nicht mit dem Besitzer oder den Kellnern oder der Köchin Rosina, die ich am Schlußtag zum ersten Mal sah, als sie das Glas mit dem perlendem Getränk in der zitternden Hand hielt.

Die nächsten zwei Jahre waren verheerend für meinen Magen und für mein inneres Gleichgewicht, denn nun spürte ich, daß es einen eigenartigen Zusammenhang zwi-

extraña proporción. Deambulé por los más variados restaurantes buscando un alivio o una recompensa que no lograba determinar. Mi vida iba a la deriva y el recuerdo de la sopa del Cifuentes era algo que me afectaba como una frustración que llegó a invadir mis sueños.

Hasta que un día, en una lejana casa de comidas del extrarradio, cuando ya me habían expulsado de la empresa y llevaba una existencia depauperada y enferma, reencontré la vieja sopa, amarillenta y confusa. Rosina es hoy mi mujer y yo he vuelto a recuperar el equilibrio y la placidez de mi modesta condición.

Ana María Matute
Mar

Pobre niño. Tenía las orejas muy grandes, y, cuando se ponía de espaldas a la ventana, se volvían encarnadas. Pobre niño, estaba doblado, amarillo. Vino el hombre que curaba, detrás de sus gafas. «El mar – dijo –; el mar, el mar.» Todo el mundo empezó a hacer maletas y a hablar del mar. Tenían una prisa muy grande. El niño se figuró que el mar era como estar dentro de una caracola grandísima, llena de rumores, cánticos, voces que gritaban muy lejos, con un largo eco. Creía que el mar era alto y verde.

Pero cuando llegó al mar se quedó parado. Su piel, ¡qué extraña era allí! – Madre – dijo, porque sentía vergüenza –, quiero ver hasta dónde me llega el mar.

Él, que creyó el mar alto y verde, lo veía blanco, como el borde de la cerveza, cosquilleándole, frío, la punta de los pies.

schen dem einen und dem andern gab. Ich pilgerte zu den verschiedensten Gasthäusern, ständig auf der Suche nach einer irgendwie unbenennbaren Linderung oder Genugtuung. Mein Leben war aus der Bahn geraten, und die Erinnerung an die Suppe im «Cifuentes» erschütterte mich wie eine vereitelte Hoffnung und verfolgte mich bis in meine Träume. Bis ich eines Tages in einem ärmlichen Außenquartier – damals hatte ich schon meine Anstellung im Unternehmen verloren und schleppte mich verarmt und krank durchs Leben – in einem dürftigen Speiselokal die altbekannte Suppe, die gelbliche undurchsichtige Brühe, wieder fand. Rosina ist heute meine Frau, und ich habe mein Gleichgewicht wiedergefunden und genieße die heitere Ruhe meines bescheidenen Daseins.

Ana María Matute
Das Meer

Armer Junge. Er hatte riesige Ohren, und wenn er mit dem Rücken zum Fenster stand, wurden sie ganz rot. Armer Junge, er war bucklig, gelb. Da kam der Mann, der gesund machte, hinter seinen Brillengläsern. «Das Meer», sagte er, «das Meer». Alle fingen an, Koffer zu packen und vom Meer zu reden. Sie hatten es sehr eilig. Der Junge stellte sich vor, am Meer sein bedeute etwas Ähnliches wie in einer riesigen Muschel sein, einer Muschel voller Geräusche, Klänge, Stimmen – von weither, mit langem Echo. Er meinte, das Meer sei hoch und grün.

Als er ans Meer kam, stand er fassungslos da. Seine gelbe Haut, ach, wie seltsam nahm sie sich hier aus! «Mutter», sagte er, denn er schämte sich, «ich will schauen, wie weit mir das Meer reicht.»

Er, der immer gemeint hatte, das Meer sei hoch und grün, sah nun, daß es weiß war wie der Schaumkragen auf dem Bier, daß es ihn kalt an den Fußspitzen kitzelte.

– ¡Voy a ver hasta dónde me llega el mar! – Y anduvo, anduvo, anduvo. El mar, ¡qué cosa rara!, crecía, se volvía azul, violeta. Le llegó a las rodillas. Luego, a la cintura, al pecho, a los labios, a los ojos.

Entonces, le entró en las orejas el eco largo, las voces que llaman lejos. Y en los ojos, todo el color. ¡Ah, sí, por fin, el mar era verdad! Era una grande, inmensa caracola. El mar, verdaderamente, era alto y verde.

Pero los de la orilla, no entendían nada de nada. Encima, se ponían a llorar a gritos, y decían: «¡Qué desgracia! ¡Señor, qué gran desgracia!»

Ana María Matute
La niña que no estaba en ninguna parte

Dentro del armario olía a alcanfor, a flores aplastadas, como ceniza en laminillas. A ropa blanca y fría de invierno. Dentro del armario una caja guardaba zapatitos rojos, con borla, de una niña. Al lado, entre papel de seda y naftalina, estaba la muñeca, grandota, con mofletes abultados y duros, que no se podían besar. En los ojos redondos, fijos, de vidrio azul, se reflejaba la lámpara, el techo, la tapa de la caja y, en otro tiempo, las copas de los árboles del parque. La muñeca, los zapatos, eran de la niña. Pero en aquella habitación no se la veía. No estaba en el espejo, sobre la cómoda. Ni en la cara amarilla y arrugada, que se miraba la lengua y se ponía bigudíes en la cabeza. La niña de aquella habitación no había muerto, mas no estaba en ninguna parte.

«Ich will schauen, wie weit mir das Meer reicht!» Und er ging hinein, weiter und immer weiter. Das Meer – wie seltsam! – wurde immer größer, färbte sich allmählich blau, dann violett. Es reichte ihm bis zu den Knien. Dann bis zum Bauch, zur Brust, zu den Lippen, den Augen. Dann drang ihm das lange Echo in die Ohren, die Stimmen, die von weither rufen. Und die Augen füllten sich ganz mit Farbe. Ach, endlich, das Meer war Wirklichkeit! Es war eine unendlich große Muschel. Das Meer war tatsächlich hoch und grün.

Aber die Leute am Strand verstanden überhaupt nichts von alledem. Sie fingen sogar noch an zu weinen und zu schreien und sagten immer wieder: «Was für ein Unglück, mein Gott, was für ein großes Unglück!»

Ana María Matute
Das Mädchen, das nirgendwo mehr war

Drinnen im Schrank roch es nach Kampher, nach gepreßten Blumen – Asche in Scheibchen. Nach weißer kalter Winterwäsche. Drinnen im Schrank hütete eine Schachtel kleine rote Mädchenschuhe mit Troddeln. Daneben lag in Seidenpapier und Naphthalin die große Puppe mit den dicken harten Wangen, die man nicht küssen konnte. In den runden starren Augen aus blauem Glas spiegelten sich die Lampe, die Zimmerdecke, der Schachteldeckel, und früher auch die Kronen der Parkbäume. Die Puppe, die kleinen Schuhe gehörten dem Mädchen. Aber in diesem Zimmer war es nicht zu sehen. Es blickte auch nicht aus dem Spiegel über der Kommode. Auch nicht aus dem gelben verrunzelten Gesicht, das sich die Zunge anschaute und Lockenwickel ins Haar drehte. Das Mädchen in diesem Zimmer war nicht gestorben, aber es war nirgendwo mehr.

Ana María Matute
El niño del cazador

El niño del cazador iba todos los días a la montaña, detrás de su padre, con el zurrón y el pan. A la noche volvían, con cinturones de palomas y liebres, con las piernas salpicadas de gotitas rojas, que, poco a poco, se volvían negras. El niño del cazador esperaba en el chozo de ramas, oía los tiros y los contaba en voz baja. A la noche, tropezando con las piedras, sentía los picos de las palomas, de las perdices y las codornices, de los tordos, martilleando sus rodillas. El niño del cazador soñaba hasta el alba en cacerías con escopetas y con perros. Una noche de gran luna, el niño del cazador robó la escopeta y se fue en busca de los árboles, camino arriba. El niño cazó todas las estrellas de la noche, las alondras blancas, las liebres azules, las palomas verdes, las hojas doradas y el viento puntiagudo. Cazó el miedo, el frío, la oscuridad. Cuando le bajaron, en la aurora, la madre vio que el rocío de la madrugada, vuelto rojo como vino, salpicaba las rodillas blancas del tonto niño cazador.

Antonio F. Molina
Al otro lado

Porque hubiera leído las aventuras de Alicia no iba a pensar que existía la menor posibilidad de pasar a través de un espejo y si, cuando me afeitaba, dirigí la mano sobre la superficie fue porque me molestaba la mosca que se paró sobre ella.

Entonces mi mano se coló hacia dentro y yo

Ana María Matute
Das Kind des Jägers

Das Kind des Jägers stieg jeden Tag hinter seinem Vater
her auf den Berg, mit dem Rucksack und dem Brot. Am
Abend kehrten sie heim mit Hasen und Tauben am Gürtel,
mit roten Blutspritzern an den Beinen, die im Trocknen
schwarz wurden. Das Kind des Jägers wartete in der Laub-
hütte, hörte die Schüsse und zählte sie leise. Wenn es am
Abend auf dem Heimweg über die Steine stolperte, sta-
chen ihm die Schnäbel der Tauben, der Rebhühner, der
Wachteln und Drosseln schmerzhaft in die Knie. Das
Kind des Jägers träumte bis zum Morgengrauen von Jagden
mit Gewehren und Hunden.

   In einer Vollmondnacht ent-
wendete das Kind des Jägers das Gewehr und ging den
Weg hinauf zu den Bäumen. Das Kind jagte alle Gestirne
der Nacht, die weißen Lerchen, die blauen Hasen, die grünen Tauben, die goldenen Blätter und den spitzigen Wind.
Es verjagte die Angst, die Kälte, die Dunkelheit. Als in
der Frühe das dumme Jägerkind hinuntergetragen wurde,
sah die Mutter, daß die Tautröpfchen, welche seine weißen
Knie besprenkelten, von der Morgenröte weinrot gefärbt
waren.

Antonio F. Molina
Auf der andern Seite

Ich kam nicht auf den Gedanken – etwa weil ich «Alice
hinter den Spiegeln» gelesen hätte –, es könnte auch nur
die geringste Möglichkeit bestehen, durch einen Spiegel
hindurchzugehen! Wenn ich beim Rasieren mit der Hand
über die Oberfläche fuhr, so nur, weil mich eine Fliege
störte, die sich dort hingesetzt hatte.
  Da tauchte meine Hand hinein, und ich wurde mit Ge-

fui detrás como absorbido por una fuerza que no fue violenta como si de pronto se apagara o se encendiera la luz.

Estoy en una habitación en la que no hay nada. Perfectamente cúbica y con el suelo, techo y paredes desnudos. Veo lo que hay al otro lado pero no puedo salir de aquí.

Antonio F. Molina
Eliminado

No hubo más remedio que tomar una determinación. Hacía quince días que había llegado a la ciudad y no habia consumido un solo producto de los que anuncian hasta la saciedad, y, además, cuando le ofrecían alguno los rechazaba con violencia.

Antonio F. Molina
Ida y vuelta

Al despertarme me encontré en el día siguiente, pero allí no tenía nada que hacer. Me resultó tan aburrido encontrarme en ese tiempo futuro, que parecía una tripa inflada de aire, que decidí pasar de algún modo al día corriente.

Lo pude conseguir como atravesando el cristal de una ventana que me hirió al romperlo. Después me encontré con el día arrugado y anduve por él como si se me hubiera perdido la sombra.

walt von hinten hineingezogen, aber doch so sanft, als handelte es sich nur darum, Licht aus oder an zu machen.

Ich befinde mich in einem Zimmer, wo es gar nichts gibt. Es ist genau würfelförmig, Boden, Decke und Wände sind nackt. Ich sehe, was es auf der anderen Seite gibt, aber ich kann nicht mehr hinaus.

Antonio F. Molina
Verfemt

Es blieb keine andere Wahl, als eine Entscheidung zu treffen. Vor zwei Wochen war er in die Stadt gekommen und hatte noch kein einziges der Erzeugnisse verwendet, die bis zum Überdruß angepriesen werden. Mehr noch: Wenn ihm irgendeines angeboten wurde, wies er es mit aller Heftigkeit zuzrück.

Antonio F. Molina
Hin und zurück

Beim Erwachen stellte ich fest, daß schon der nächste Tag war, aber da hatte ich nichts zu tun. Ich fand es sehr langweilig, mich in der Zukunft aufzuhalten, die mir wie ein aufgeblasenes Gekröse vorkam. Ich beschloß, auf irgendeine Weise in die Gegenwart zurückzukehren.

Es gelang mir so, als wäre ich durch eine Fensterscheibe hindurchgegangen, die mich beim Zersplittern verletzte. Dann befand ich mich im ganz verrunzelten Heute und verbrachte den Tag, als hätte ich meinen Schatten verloren.

Augusto Monterroso
La fe y las montañas

Al principio la Fe movía montañas sólo cuando era absolutamente necesario, con lo que el paisaje permanecía igual a sí mismo durante milenios.

Pero cuando la Fe comenzó a propagarse y a la gente le pareció divertida la idea de mover montañas, éstas no hacían sino cambiar de sitio, y cada vez era más difícil encontrarlas en el lugar en que uno las había dejado la noche anterior; cosa que por supuesto creaba más dificultades que las que resolvía.

La buena gente prefirió entonces abandonar la Fe y ahora las montañas permanecen por lo general en su sitio.

Cuando en la carretera se produce un derrumbe bajo el cual mueren varios viajeros, es que alguien, muy lejano o inmediato, tuvo un ligerísimo atisbo de Fe.

Augusto Monterroso
Los otros seis

Dice la tradición que en un lejano país existió hace algunos años un Búho que a fuerza de meditar y quemarse las pestañas estudiando, pensando, traduciendo, dando conferencias, escribiendo poemas, cuentos, biografías, crónicas de cine, discursos, ensayos literarios y algunas cosas más, llegó a saberlo y tratarlo prácticamente todo en cualquier género de los conocimientos humanos, en forma tan notoria que sus entusiastas contemporáneos pronto lo declararon uno de los Siete Sabios del País, sin que hasta la fecha se haya podido averiguar quiénes eran los otros seis.

Augusto Monterroso
Der Glaube und die Berge

Am Anfang versetzte der Glaube nur dann Berge, wenn es unbedingt nötig war, so daß die Landschaft jahrtausendelang sich selber gleich blieb.

Aber als der Glaube sich immer mehr ausbreitete und die Leute die Vorstellung, Berge zu versetzen, lustig fanden, änderten diese immer häufiger ihren Standort, und es wurde immer schwieriger,
                              sie dort wiederzufinden, wo sie am Vortag gewesen waren; das schaffte selbstverständlich mehr Beschwernis als Erleichterung.

Die guten Leute hielten es dann für besser, ihren Glauben aufzugeben, und jetzt blieben die Berge im allgemeinen wieder an ihrem Ort.

Wenn sich heutigentags auf einer Überlandstraße ein Erdrutsch ereignet, bei dem mehrere Reisende ums Leben kommen, so darum, weil jemand weit weg oder in unmittelbarer Nähe einen Anflug von Glauben hatte.

Augusto Monterroso
Die sechs anderen

Es wird erzählt, daß in einem fernen Land vor Jahren einmal eine Eule lebte, die dank langem anstrengendem Nachsinnen und sich die Wimpern verbrennen mit Bücherlesen, Denken, Übersetzen, Vorträgehalten, mit dem Schreiben von Gedichten, Erzählungen, Biographien, Filmbesprechungen, Ansprachen, literarischen Essays und anderem im Laufe der Zeit auf den verschiedensten Gebieten menschlichen Forschens sozusagen alles wußte und behandelt hatte und damit so berühmt wurde, daß ihre begeisterten Mitbürger schließlich erklärten, sie sei eine der Sieben Weisen ihres Landes – ohne daß man bis heute herausbekommen hätte, wer die sechs anderen waren.

José Moreno Villa
El perro

Cuando veo a esta llama de atención que es el perro; cuando le veo seguirme con los ojos, saludarme con los brazuelos, espiar, ladrar en mi defensa, mover el rabo alegre a mi llegada, echarse a mis pies hecho un ovillo, todo sumisión, surge al instante en mi memoria la imagen del hombre que, por su voluntad, convertiría en perros a todos los seres que le rodean, a la mujer, al hijo, al inferior jerárquico. Y entonces, me voy al perro y le digo con toda la efusión de que soy capaz:

«Mira, perro, yo no te voy a pegar nunca, ni te voy a suprimir la comida, ni a echar de la casa, ni a disminuir mi benevolencia para contigo. No me temas; no seré nunca el superior. Pórtate como te portarías en mi ausencia. No quiero esclavos ni aduladores.»

Y el perro me tuvo por idiota.

Jaime Nisttahuz
Epílogo para una historia

La mujer sueña que está discutiendo con el hombre en la sala de un departamento. Una sombra los observa a través de la ventana que da al pasillo. A la mujer, que es la primera en darse cuenta que son observados, le parece que es otro hombre y sonríe para provocar celos en el hombre que cesa de discutir para también mirar a la sombra, comprobando que es otra mujer cuando ella lo llama con la mano. En eso caen todos los libros del estante deshojándose y como lloviendo sobre ellos. Sacudiéndose el polvo de las ropas,

José Moreno Villa
Der Hund

Immer wenn ich den Hund als ganz und gar flammende
Aufmerksamkeit sehe; wenn ich beobachte, wie er mir mit
den Augen folgt, mich mit den Pfoten begrüßt, zu meiner
Verteidigung späht und bellt, bei meiner Ankunft fröhlich
mit dem Schwanz wedelt, sich zu meinen Füßen zusam-
menrollt und in uneingeschränkter Ergebenheit daliegt,
dann taucht vor meinen Augen sofort das Bild des Menschen auf, der mit seinem Willen alle Lebewesen in seinem
Umkreis in Hunde verwandeln könnte: die Ehefrau, die
Kinder, alles was rangniedriger ist. Somit gehe ich zum
Hund und sage so überschwenglich ich nur kann:
    «Schau, Hund, ich werde dich nie prügeln, ich werde dir
nie das Futter vorenthalten, noch dich aus dem Haus ja-
gen, noch mein Wohlwollen schmälern. Hab keine Angst
vor mir; ich werde nie dein Meister sein. Benimm dich so,
wie du dich benähmest, wenn ich fort wäre. Ich mag keine Sklaven und keine Schmeichler um mich haben.»
    Der Hund hielt mich für einen Trottel.

Jaime Nisttahuz
Nachtrag zu einer Geschichte

Die Frau träumte, sie rede in einem Zimmer in einer
Wohnung mit einem Mann. Ein Schatten beobachtet die
beiden durch das Fenster, das auf den Flur hinausgeht.
Der Frau, die gleich merkt, daß sie beobachtet werden,
scheint es ein anderer Mann zu sein. Sie lächelt ihm zu,
um den ersten eifersüchtig zu machen. Der hört nun auf
zu reden, und schaut auch zum Schatten hinüber; dabei
stellt er fest, daß es eine andere Frau ist, und die winkt
ihm mit der Hand zu. Nun fallen alle Bücher vom Gestell,
die Blätter lösen sich und regnen auf die beiden herab. Sie
schütteln sich den Staub von den Kleidern. Der Mann lä-

el hombre sonríe triunfante y decidido a irse con la otra. Pero antes quiere destruir a la que tiene frente a él, y sacando un fósforo del bolsillo lo enciende aproximándolo a la cabellera de la mujer que desaparece al contacto del fuego.

El hombre despierta y busca, dándose cuenta que está solo.

Carlos Edmundo de Ory
Parábola del Papa

El Papa: – De hoy en adelante se acabó esta farsa. Presento mi dimisión y me voy con viento fresco. Me compraré una peluca y ... bueno, aceptaré el cargo de Presidente numerario de la prestigiosa Compañía de Seguros «Assicurazioni Generali» que F. tuvo la gentileza, aunque también la osadía, de brindarme, entre bromas y veras, la tarde que lo recibí en mi Santo Despacho del Vaticano. Buen muchacho F. Fue mi compañero de colegio a los nueve años. Él mismo me lo recordó.

Alzó los ojos hacia el Crucifijo que estaba frente a frente de él, colgado del muro. Dio un suspiro y exclamó:

– Menudo lío voy a organizar.

Manuel Pacheco
El molinillo

Todas las mañanas molía el café. Desde muchos años, todas las mañanas el hombre le llenaba la boca de granos de café y barbaramente daba vueltas a la manivela y él – el molinillo – tenía que triturar los granos, convertirlos en polvo.

chelt siegesgewiß; er ist entschlossen, mit der anderen wegzugehen. Aber zuvor will er die Frau hier bei ihm zerstören. Er nimmt ein Streichholz aus der Tasche, zündet es an und hält es der Frau ans Haar. Bei der Berührung mit dem Feuer verschwindet sie.

Der Mann erwacht und sucht und merkt, daß er allein ist.

Carlos Edmundo de Ory
Parabel vom Papst

Der Papst: «Von heute an ist Schluß mit diesem Possenspiel. Ich reiche meinen Rücktritt ein und gehe fort, mit frischem Wind in den Segeln. Ich kaufe mir eine Perücke ... und, also gut, ich werde den Posten als Präsident der renommierten Versicherungsgesellschaft ‹Assicurazioni Generali› annehmen, den F. die Liebenswürdigkeit, aber auch die Kühnheit hatte, mir halb im Ernst, halb im Scherz anzubieten, als ich ihn an einem Nachmittag in den Uffizien des Heiligen Stuhls empfing. Ein guter Mensch, dieser F. Er war mein Schulkamerad, als wir neun Jahr alt waren. Er selbst hat es mir wieder in Erinnerung gerufen.

Er blickte zum Kruzifix empor, das in Augenhöhe vor ihm an der Wand hing. Er seufzte auf und sagte laut: «Ein heilloses Durcheinander werde ich da anrichten.»

Manuel Pacheco
Die Kaffeemühle

Jeden Morgen mahlte sie den Kaffee. Seit vielen Jahren stopfte ihr der Mann jeden Morgen das Maul mit Kaffeebohnen voll und drehte rücksichtslos an der Kurbel, und sie – die Kaffeemühle – mußte die Bohnen zu Pulver zerreiben.

El hombre cogía el polvo y lo depositaba en un cazo con el agua a punto de hervir, y después, paladeándolo se lo bebía.

El hombre no creía que los objetos tuvieran vida; el hombre despreciaba la estática esclavitud de los objetos y se burlaba de su amigo el poeta, que le decía tuviera cuidado con las cosas, porque ellas nos sirven y debemos amarlas: Una lámpara, un cuchillo, una puerta, un mueble-bar, un cierre de cristales podían despertar de su letargo esclavo; una silla podía ladearse para no servir de asiento y el hombre descuidado romperse la cabeza.

Y una mañana el molinillo saltó, aprisionó un dedo del hombre, le mordió rabiosamente la yema del dedo meñique, y el hombre blasfemó; la sangre corría, luego la uña se puso negra, y el dedo, y la muñeca y el brazo, v lo tuvieron que asistir en una clínica de urgenica antes de ser trasladado al hospital donde le cortaron el brazo.

Y el molinillo no volvió a moler café. Lo tiraron a la basura y allí vivió feliz, jugando con los niños del suburbio.

Manuel Pacheco
Las puertas

Abría y cerraba las puertas; le gustaba abrir y cerrar las puertas y así era libre de encerrarse en una habitación y estar en soledad sin sentirse mirado o abrir una puerta y caminar hacia los hombres.

Lo llevaron al desierto y no murió de sed, ni de calor, ni de hambre; murió porque en el desierto no había ninguna puerta que cerrar.

Der Mann nahm das Pulver, schüttete es zusammen mit kochendem Wasser in einen Blechnapf und schlürfte darauf genießerisch das Gebräu.

Der Mann glaubte nicht, daß Gegenstände Leben in sich hätten. Der Mann verachtete die starre Dienstbereitschaft der Sachen und spottete über seinen Dichterfreund, der ihm einschärfte, Sorge zu tragen für die Dinge, weil sie uns nützlich seien und wir sie deshalb gern haben sollten. Eine Lampe, ein Messer, eine Tür, ein Barmöbel, ein Fensterschloß könnten aus ihrer untertänigen Ruhe erwachen; ein Stuhl könnte sich zur Seite neigen und nicht mehr zum Sitzen taugen, so daß ein unachtsamer Mensch das Genick brechen würde.

Eines Morgens sprang die Kaffeemühle entzwei; sie klemmte dem Mann einen Finger ein und biß ihn wütend in die Kleinfingerbeere; der Mann fluchte, das Blut floß, dann wurde der Fingernagel schwarz, dann der ganze Finger, das Handgelenk und der Arm, er mußte in einer Notfallklinik verarztet werden, bis man ihn ins Krankenhaus brachte, wo ihm der Arm amputiert wurde.

Die Kaffeemühle mahlte nie wieder Kaffee. Sie wurde auf den Müll geworfen, dort spielte sie mit den armen Vorstadtkindern und lebte glücklich und zufrieden.

Manuel Pacheco
Die Türen

Er machte die Türen auf und zu; er tat das gern: Türen auf und zu machen gab ihm Freiheit. Er konnte sich in ein Zimmer einschließen und allein sein, ohne sich beobachtet zu fühlen, oder er konnte eine Tür aufmachen und zu den Leuten gehen.

Er wurde in die Wüste verschlagen, aber er starb weder vor Durst, noch vor Hitze, noch vor Hunger; er starb, weil es in der Wüste keine Tür zum Zumachen gab.

Virgilio me introdujo en una nueva estancia. Lo que vi en ella superaba en rigor a todo lo presenciado anteriormente. Un hombre gigantesco, de poderosa musculatura, reluciente como una deidad submarina, empujaba una enorme bola por un plano inclinado.

La espalda se arqueaba como un arbotante que soportaba la tensión ascendente del impulso. Las venas serpenteaban por los brazos recuperando con avidez el flujo sanguíneo que los músculos reclamaban de las arterias. Los tendones sugerían el peligro de una ruptura inminente. Asombrado, me fijé en el rostro del coloso. Determinación invencible. Esfuerzo sobrehumano. Anhelante propósito.

Paso a paso, venciendo con firmeza inexorable la ley de la gravedad, la bola iba ascendiendo atenazada por la nobleza indiscutible de las manos vigorosas y heroicas. Tenso en mi inmovilidad, yo la ayudaba acongojado al logro de su empresa. Pero al llegar a lo alto no hubo triunfo ni reposo. El atleta dejó resbalar la bola por el plano inclinado. Luego bajó de la plataforma y de nuevo inició la subida de aquella suerte de monstruoso globo terráqueo.

– ¿Puedo hablarle? – le pregunté a Virgilio.

– Puedes – me respondió con voz cavernosa –, pero no esperes que desista de su acción.

– Tremendo es su esfuerzo, amigo mío – dije amablemente, tratando de aportarle consuelo con mi comprensión –. Y extraña penitencia este trabajo tan inútil y repetido.

El titán se detuvo a medio camino y me miró estupefacto.

Esteban Padrós de Palacios
Sisyphos und der Felsbrocken

Vergil führte mich in einen neuen Raum. Was ich dort
sah, übertraf in der Tat alles bisher Erlebte. Ein Hüne von
einem Mann mit kraftstrotzenden Muskeln und glänzen-
der Haut – er sah aus wie ein Meeresgott – wälzte eine
mächtige Kugel über eine schiefe Ebene hinauf.

Sein Rücken wölbte sich wie ein gotischer Strebepfeiler
und hielt der wachsenden Kraftanstrengung stand. Die
Venen zeichneten sich wie Schlangen auf den Armen ab
und leiteten gierig den Blutsrom zurück, den die Muskeln
von den Arterien verlangt hatten. Die gefährlich gespann-
ten Sehnen drohten zu reißen. Verwundert heftete ich
meinen Blick auf das Gesicht des Kolosses. Unbeugsame
Entschlossenheit. Übermenschliche Anstrengung. Hart-
näckiges Streben.

Schritt um Schritt, das Gesetz der Schwerkraft mit uner-
bittlicher Standfestigkeit besiegend, schob sich die Kugel
in der Zange seiner zweifellos edlen kraftvollen Helden-
hände stetig aufwärts. In unbeweglicher Spannung unter-
stützte ich sie und bangte um das Gelingen seines Vorha-
bens. Oben angekommen aber zeigte der Athlet keine
Freude, noch gönnte er sich Erholung. Er ließ die Kugel
gleich wieder über die schiefe Ebene hinabrollen. Dann
stieg er von der Plattform herab und machte sich von neuem daran, diese ungeheuerliche Art Erdkugel wieder hin-
aufzuwälzen.

«Darf ich ihn ansprechen?» fragte ich Vergil.

«Du darfst», antwortete er mir mit Grabesstimme.
«Aber erwarte nicht, daß er von seinem Tun abläßt.»

«Erschreckend ist Ihre Anstrengung, mein Freund»,
sagte ich liebenswürdig und meinte, ihm mit meinem Ver-
ständnis Trost zu spenden. «Und eine seltsame Strafe ist
diese nutzlose und immer wiederkehrende Bemühung.»

Der Titan hielt mitten auf dem Weg inne und schaute
mich verblüfft an.

– ¿Le parece inútil este esfuerzo? – me preguntó acompasando rítmicamente su respiración –. No tiene nada de inútil. Con este esfuerzo aumento día a día mi musculatura.

Ahora el estupefacto era yo.

– ¿Y para qué le sirve a usted acrecentar cada vez más su ya fabulosa musculatura?

– Pues está bien claro – exclamó muy satisfecho, hinchado de fibras y de orgullo –. Para subir cada vez con mayor facilidad este peso por la pendiente.

Y como si estas palabras zanjaran todo problema, reemprendió el trabajoso acarreo.

Quedé anonadado. Lo que a mí me parecía un círculo vicioso infernal, a él le parecía un círculo vicioso placentero.

Mi guía me asió del brazo, y por largos pasillos me condujo al exterior.

Una vez en la calle, Virgilio Rodríguez me dijo con su voz afónica:

– ¿Qué, te animas y te haces socio?

Miré el cartel del edifico. «Sísifo's Club. Culturismo.»

– ¡Oh no! – proferí compungido –. La racionalización se ha metido en los infiernos. Es el fin de la antigua mitología.

Edmundo Paz Soldán
La fiesta

Llegaste a tu casa a las tres de la madrugada y te encontraste con una fiesta de disfraces. Tú no la habías organizado y no sabías quién podía haberlo hecho porque vivías solo, asi que te apoderaste de un sentimiento de extrañeza y con él te diri-

«Nutzlos erscheint Ihnen diese Bemühung?» fragte er schwer atmend und stockend. «Sie ist alles andere als nutzlos, denn mit dieser Anstrengung erhöht sich Tag für Tag meine Muskelkraft.»

Jetzt war ich verblüfft:

«Was nützt es denn, Ihre schon jetzt höchst eindrucksvolle Muskelkraft noch zu steigern?»

«Das ist doch ganz klar», antwortete er selbstzufrieden und mit stolzgeschwellter Brust, «damit ich das Gewicht bei jedem Mal ein bißchen leichter den Abhang hinaufstoßen kann.»

Als wäre mit dieser Feststellung jegliches Problem erledigt, nahm er mühsam seine Stoßarbeit wieder auf.

Ich war erschlagen. Was mir wie ein teuflischer Zirkelschluß vorgekommen war, schien für ihn ein Freudenzirkel zu sein.

Mein Freund faßte mich am Arm und führte mich durch lange Gänge ins Freie hinaus.

Auf der Straße fragte mich dann Vergil Rodríguez mit seiner heiseren Stimme:

«Nun, raffst du dich auf und wirst Mitglied?»

Ich sah auf das Schild am Gebäude: «Club Sisyphos. Krafttraining».

«Oh nein», stieß ich beklommen aus. «Die Wissenschaft hat sich der Hölle bemächtigt. Das ist das Ende der antiken Mythologie.»

Edmundo Paz Soldán
Das Fest

Du kamst morgens um drei Uhr nach Hause und fandest, daß ein Maskenball im Gang war. Du hattest ihn nicht veranstaltet und wußtest auch nicht, wer es getan haben konnte, denn du wohntest allein, und somit fühltest du dich befremdet. Du wandtest dich nacheinander an einen

giste, sucesivamente, a un arlequín, a una prostituta de maquillaje excesivo, a un pirata con un loro en el hombro derecho. Nadie te dio razones, nadie parecía conocerte. Creíste que lo mejor era dormir para así poder despertar y comenzar de nuevo, pero en tu cama dos payasos hacían el amor. El cuarto de invitados estaba cerrado por dentro, del baño salían febriles gemidos, en la sala de estar parejas semidesnudas se emborrachaban: no tenías dónde ir. Abriste una botella de cerveza y decidiste participar en la fiesta. Bailaste, besaste, te besaron.

Se fueron aproximadamente a las seis. Ninguno se despidió de ti. Te dirigiste a tu cama pero no pudiste llegar a ella: exhausto, te desplomaste en el pasillo y te quedaste a dormir allí, enredado en serpentinas, un vaso vacío en la mano.

Antonio Pereira
Lenta es la luz del amanecer en los aeropuertos prohibidos

Una vez estaba Pepín Ramos el poeta inspirado en la taberna que llaman el Senado, sentado a la mesa tosca, haciendo su papel de poeta inspirado. Todos lo respetamos mucho en sus esperas de la voz misteriosa, aunque nunca se le haya visto una página terminada. Vino un parroquiano de la taberna con la alegría lúcida de los primeros vasos, y fisgó el renglón que campeaba en la hoja:

Lenta es la luz del amanecer en los aeropuertos prohibidos.

El verso hermoso, todavía único, con que iba a arrancar el poema.

El parroquiano suspiró:

– Es un buen empiece, Pepín. Pero ahora qué.

Harlekin, an eine aufdringlich geschminkte Prostituierte, an einen Piraten mit einem Papagei auf der rechten Schulter. Niemand gab dir Auskunft, niemand schien dich zu kennen. Du fandest es am besten, schlafen zu gehen, um so wieder erwachen und neu beginnen zu können. Aber in deinem Bett gaben sich zwei Clowns der Liebe hin. Das Gästezimmer war von innen verschlossen, aus dem Badezimmer drang fieberheißes Gestöhne, und im Wohnzimmer betranken sich halbnackte Paare. Nirgends war ein Ort, wo du dich hinlegen konntest. Du öffnetest eine Flasche Bier und beschlossest, das Fest mitzumachen. Du tanztest, küsstest, wurdest geküsst.

Etwa um sechs Uhr gingen sie weg. Niemand verabschiedete sich von dir. Du gingst zu deinem Bett, kamst aber nicht bis dorthin: erschöpft fielst du im Flur auf den Boden und bliebst in einem Gewirr von Papierschlangen liegen, in der Hand ein leeres Glas.

Antonio Pereira
Langsam scheint Morgenlicht auf unerlaubte Flughäfen

Eines Tages saß der inspirierte Dichter Pepín Ramos in der Taverne «Zum Senat» und spielte am klotzigen Bauerntisch seine Rolle als «inspirierter Dichter». Wir alle begegneten ihm mit großer Achtung, wenn er auf die geheimnisvolle Stimme wartete, obwohl nie einer eine fertige Seite von ihm gesehen hatte. Ein Stammgast kam angeheitert von den ersten Gläschen herein und erhaschte im Vorbeigehen die Zeile, die auf dem leeren Blatt erblüht war:

Langsam scheint das Morgenlicht auf unerlaubte Flughäfen.

Das war der schöne Vers, vorläufig noch der einzige, der den Anfang des Gedichtes machen sollte.

Der Stammgast seufzte:

«Es ist ein schöner Anfang, Pepín, aber was jetzt?»

Un oficio que da muchas emociones es el de escalatorres, pero es un cuerpo en el que cuesta trabajo entrar porque ha quedado en manos de pocas familias.

Hay un escalatorres jubilado que relata su conocimiento eminente del país: los prados extendidos y los campos de mieses, las humildes chimeneas y los caserones humillados de los señores.

Pero no es lo mismo una torre de ayuntamiento que la experiencia desde cúpula de catedral. Y aun en ésta, la visión del escalatorres puede ser exaltada o serena, según sea gótico o románico el monumento al que se encarama.

Con todo, lo que a él le importaba más era su facultad de descifrar la condición humana desde la altura.

Cuenta de cuidades cultas donde la escalada es como un concierto de música al que se asiste en silencio, ciudades avaras enumera donde el público desaparece a la hora de la colecta, pero también ciudades generosas y de brazos abiertos. En Osorno, provincia de Palencia, se cruzan apuestas sobre el espectáculo sin descuidar por eso las barajas. En la ciudad empedernida (pero de ésta no dice el nombre) alienta el deseo de ver cómo el artista se desprende de un saliente y se mata.

Antonio Pereira
Der Turmkletterer

Der Beruf erregt großes Aufsehen, aber es kostet einige Mühe, in den Verband aufgenommen zu werden, denn er befindet sich in den festen Händen von nur noch wenigen Familien.

Es gibt einen pensionierten Turmkletterer, der von seiner fabelhaften Landeskenntnis erzählt: von weit sich hinziehenden Wiesen und Feldern, von bescheidenen Armeleutekaminen und verarmten Herrensitzen.

Ein Rathausturm ist nicht das gleiche wie das Erlebnis von der Kuppel einer Kathedrale aus. Und auch hier kann die Schau des Turmkletterers überwältigend oder heiter sein, je nachdem, ob er ein gotisches oder ein romanisches Bauwerk erklettert.

Bei alledem war ihm das Wichtigste, daß ihm die Höhe die Möglichkeit bot, das Wesen des Menschen zu ergründen.

Er erzählt von gebildeten Städten, wo die Leute wie in einem Konzert schweigend der Kletterpartie beiwohnen; er nennt geizige Städte, wo die Leute sich davonmachen, wenn die Sammelbüchse umhergereicht wird, aber auch großzügige Städte mit offenen Händen. In Osorno, in der Provinz Palencia, wird auf die Darbietung gewettet, ohne daß deswegen das Kartenspiel zu kurz kommt. In der hartherzigen Stadt (deren Namen gibt er nicht preis) hält sich der Wunsch, der Künstler möge auf einem Gesims den Halt verlieren und zu Tode stürzen.

Raúl Pérez
Zapatazo

Y el zapato se dirigía a mí injustamente.

Me gritaba a gritos con su boca enorme abierta hasta el infinito.

Zapato viejo, viejísimo, su color sin color, ancho y desgarrado como un país invadido, dirigiéndose a mí como si yo tuviera algo que ver con su tinta, su suela o su dueño. Dando alaridos el muy cobarde, por el frente y hasta un poquitín por el costado, si me dan ganas de reirme, el muy lagarto, el muy ataúd.

Como si en definitiva el pie no pudiera andar suelto. Zapato bocón ...

Cristina Peri Rossi
Indicios pánicos, número 12

La habian traído del Perú en cuatro días de viaje en ferrocarril. Durante la travesía vio los pastos, la arena roja, el polvo, polvo, polvo que se arrastraba por los caminos y quedaba suspendido del aire. Muchos indios en las estaciones, callados y tenebrosos. Después otra vez el sol y la tierra. Luz seca, hambre, indio y polvo.

Ya en la ciudad, la pusieron en medio de un banco de la plaza.

Cuando dos viejos se sentaron en el mismo, ella se corrió gentil hacia un extremo. Quedó encantada con lo que vio desde el banco de la plaza: la fuente, con sus ángeles verdes de moho y cabezas de dragones silbantes entre las piernas, palomas comilonas que ronroneaban como máquinas, los juegos de los niños y los reflectores de noche,

Raúl Pérez
Der Schuh

Der Schuh kam genau auf mich zu, ganz ungerechterweise.

Er schrie mich mit seinem riesigen offenen Maul an, das unendlich weit nach hinten reichte.

Ein alter Schuh, ein uralter, seine Farbe war keine Farbe mehr, er war so aus der Form und so zerfetzt wie ein von Eroberern besetztes Land. Genau auf mich zu kam er, als ob mich seine Farbe, seine Sohle oder sein Besitzer irgend etwas angingen. Schrille Schreie stößt der Feigling aus, von vorn, sogar ein klein wenig von der Seite, er bringt mich zum Lachen, der Schläuling, der Fußsarg.

Als ob ein Fuß schließlich nicht auch ohne Schuh gehen könnte. Maulaffe ...

Cristina Peri Rossi
Angstzeichen, Nummer 12

Man hatte sie in einer viertägigen Bahnreise aus Peru geholt. Während der Fahrt sah sie die Weiden, den roten Sand, den Staub – Staub und nochmals Staub, der über die Straßen strich und in der Luft hängen blieb. Viele Indios auf den Bahnhöfen, alle schweigsam und finster. Dann wieder nur Sonne und Erde. Trockenes Licht, Hunger, Indios, Staub.

In der Stadt setzte man sie auf eine Bank auf dem Hauptplatz.

Als zwei alte Männer sich auf die gleiche Bank setzten, rückte sie höflich zur Seite. Alles was sie von der Bank auf dem Platz aus sah, entzückte sie: der Brunnen mit den grünspanüberzogenen Engelsfiguren und den wasserspeienden Drachenköpfen zwischen ihren Beinen, die gefräßigen Tauben mit ihrem eintönigen Gurren, die Kinderspiele und die nächtlichen Scheinwerfer, die an Festtagen das

iluminando el perfil del héroe montando a caballo, los días de fiesta. Se quedó en la plaza, tranquilísima. Fue poniéndose azul, como las calles y la niebla al caer la tarde, pero de todas maneras él volvía a colocarla en el banco de la plaza, cada mañana, mientras fumaba y esperaba detenido en la esquina. Las medias que traía del Perú quedaron violetas, moradas con el frío y el vestidito azul plisado se puso un poco largo, un poco laxo, si vamos a ver, pero ella conservaba su expresión de muchacha emocionada por el descubrimiento de la ciudad, y las dos trenzas flojas y lacias que le caían a los costados con ingenuidad. Nunca nadie la levantó del banco, pero él siguió poniéndola allí con insistencia. Ella se conformaba con mirar mientras él, paciente como indio que era, esperaba fumando en la esquina roma y redonda de la plaza. Le habían dicho que era negocio, que bastaba con traerla a la ciudad y ponerla ahí, sentada como una paloma en la mitad del banco y él lo creyó y lo seguía creyendo aunque por una extraña razón no sucediera. Cuando se cansó había pasado mucho tiempo. Las medias estaban completamente violetas y sus manos moradas. Como un tornado el invierno había caído sobre la ciudad, derrumbando cúpulas y carteles; los papeles volaban por la plaza como estorninos en repliegue y muy temprano el aire azul y neblinoso se hacía de la noche como un color que viniera desde el cielo esfumándolo todo, convirtiéndolo en hielo.

En ferrocarril volvieron al Perú, él fumando, ella soñando.

Reiterstandbild des Nationalhelden beleuchteten. Ruhig und still saß sie da. Wenn der Abend dämmerte, verschwamm ihre Gestalt im bläulichen Dunst über den Straßen, aber jeden Morgen setzte er sie wieder auf die Bank, derweil er in einer Ecke rauchte und wartete. Die Strümpfe, die sie von Peru mitgebracht hatte, verfärbten sich in der Kälte dunkelrot und violett, und das blaue plissierte Kleidchen hing allmählich schlaff an ihr herab und sah zu lang aus, aber immer noch staunten ihre Augen entzückt beim Entdecken der Stadt, und immer noch hingen zwei lockere Zöpfchen unschuldig neben ihrem Kopf herab.

Niemand bat sie je, von der Bank aufzustehen, aber er setzte sie mit großer Beharrlichkeit jeden Tag wieder hin. Sie begnügte sich damit, umherzuschauen, während er geduldig – wie es Indios sind – an der Rundung am Rand des Platzes wartete und rauchte. Man hatte ihm gesagt, es werde ein Geschäft, es genüge, sie in die Stadt zu bringen und wie eine Taube mitten auf die Bank zu setzen. Er hatte es geglaubt und glaubte es immer noch, obwohl es aus unersichtlichem Grund nicht geschah. Als er es müde wurde, war schon viel Zeit verflossen. Die Strümpfe waren schon ganz violett und die Hände dunkelrot vor Kälte. Wie ein Wirbelsturm war der Winter über die Stadt hereingebrochen und hatte Kuppeln und Plakatwände weggerissen; Papierfetzen wehten über den Platz wie Stare auf dem Rückzug, und sehr früh verschwamm der bläuliche Dunstnebel mit dem nächtlichen Dunkel, das sich vom Himmel herabsenkte und alles zu Eis erstarren ließ.

Mit der Bahn fuhren sie nach Peru zurück; er rauchte, sie saß traumverloren da.

Juan Perucho
Los tordos

Naturalmente que las cosas no eran exactamente así.

En primer lugar tendría que decir que es una comarca agreste, sedienta, de una tristeza profunda y absoluta, en la que el hombre se encuentra solo de cara a la tierra o de cara al firmamento. Lo pude constatar diversas veces, como es obvio.

Además están los pájaros, los tordos sobre todo. Son pequeños pero fuertes, muy valientes. Viven en los olivos y son de una voracidad grande e insatisfecha. Intentábamos exterminarlos de la manera que fuera, con una rabia ciega y obstinada, y por esto nos habíamos lastimado muchas veces.

La guerra se lo llevó, como se ha llevado tantas otras cosas. Ved el pueblo medio desierto y la fotografía de mi padre en la pared. No lo quiero pensar. Los tordos es muy probable que vuelvan.

Juan Perucho
El té

Tomaban el té en el salón que daba al jardín. El piano estaba abierto y sobre el teclado había una partitura del Concierto de Vivaldi, de la casa Ziegfild de Berlín. Se veían por todas partes ceniceros llenos de colillas y libros y revistas desparramados. En la pared había dos reproducciones de unas bailarinas de Degas con marcos dorados.

La mujer que miraba por el ventanal dijo:

– No creo que haya solución.

– ¿Por qué? – dijo el hombre que estaba sentado en la poltrona y fumaba hierbas aromáticas contra

Juan Perucho
Die Drosseln

Natürlich waren die Dinge nicht haargenau so.

In erster Linie müßte ich sagen, daß jene unwirtliche Gegend trostlos karg und völlig öde ist; sie dürstet nach Wasser, und der Mensch sieht sich dort alleingelassen vor der Erde oder unter dem Himmel. Ich konnte das immer wieder feststellen, klar.

Sonst gab es noch Vögel, vor allem Drosseln. Sie sind klein, aber stark und sehr wagemutig. Sie leben auf den Ölbäumen und sind unstillbar gefräßig. Mit allen erdenklichen Mitteln versuchten wir sie auszurotten, blindwütig und verbissen, wobei wir uns viele Male verletzt haben.

Der Krieg machte ihnen den Garaus, wie er so vielem den Garaus machte. Seht das fast von allen verlassene Dorf und die Fotografie meines Vaters an der Wand. Ich mag gar nicht daran denken. Die Drosseln werden ziemlich sicher zurückkommen.

Juan Perucho
Der Tee

Sie tranken Tee im Wohnzimmer, das auf den Garten hinaus ging. Das Klavier stand offen, über der Tastatur waren Noten aus dem Verlag Ziegfild in Berlin mit einem Vivaldi-Konzert aufgeschlagen. Überall standen Aschenbecher voller Zigarettenstummel, und da und dort lagen Bücher und Zeitschriften. An der Wand hingen in Goldrahmen zwei Kunstdrucke: Tänzerinnen von Degas.

Die Frau schaute zum Fenster hinaus und sagte:

«Ich glaube nicht, daß es eine Lösung gibt.»

«Warum?» fragte der Mann, der im Lehnstuhl saß und Duftkräuter gegen sein Asthma rauchte. Er trug einen

el asma. Llevaba un vestido de franela gris y simulaba hojear un álbum de fotografías de Cuba.

– En su caso, tampoco tú la encontrarías.

– No es esto exactamente. Podía haber esperado ...

– No, no podía. Tú tampoco habrías podido. Es fácil decir estas cosas.

Hubo un largo silencio. Por el ventanal entraba una luz difusa, miserable. El hombre bebió el último sorbo de té y se hizo otro cigarrillo de hierbas. Lo pegó con delicadeza y lo encendió. Tenía una cicatriz o una quemadura en la mejilla.

– Bien, a ti te toca decidir – dijo. Y se levantó, poniendo las manos sobre las rodillas, como si estuviera infinitamente cansado de aquel asunto.

La mujer no respondió. Cruzó la habitación y encendió las luces.

– Puede retirar el servicio – dijo a la camarera que acababa de entrar después de llamar discretamente. Y dirigiéndose al hombre, rápida y seca:

– Tú, vete, ahora – dijo.

Juan Perucho
Los hombres invisibles

Cuando salían a la calle, nadie los veía y eran perfectamente invisibles. El que ponía cara de palanquín se reía a grandes carcajadas y provocaba la muda sorpresa de la gente. El otro, el de la faz espiritual, meditaba refinados y enigmáticos crímenes.

Habían agotado toda clase de trucos y chistes de cine: hacer volar al perro, arrancar la brocha al barbero, equivocar las señales de tráfico, animar la bicicleta que corre sola, etcétera.

Con el tiempo, se familiarizaron con la vecin-

Hausrock aus grauem Flanell und tat, als blättere er in einem Album mit Fotografien aus Kuba.

«In seinem Fall fändest du auch keine.»

«Es ist nicht genau das. Er hätte warten können ...»

«Nein, er konnte nicht. Auch du hättest es nicht gekonnt. Es ist leicht, so etwas zu sagen.»

Es folgte eine lange Stille. Zum Fenster herein drang das Zwielicht nur noch schwach und undeutlich. Der Mann trank den letzten Schluck Tee und drehte sich noch eine Kräuterzigarette. Sorgfältig klebte er sie zu und zündete sie an. Er hatte eine Narbe oder Brandwunde auf der Wange.

«Gut, es ist an dir zu entscheiden», sagte er, stützte beide Hände auf die Knie und stand auf, als wäre er dieser Angelegenheit unendlich überdrüssig.

Die Frau antwortete nicht. Sie ging durch das Zimmer und machte Licht.

«Sie können abtragen», sagte sie zum Dienstmädchen, das leise angeklopft hatte und ins Zimmer gekommen war. Dann zum Mann gewandt, rasch und trocken:

«Du, geh – jetzt.»

Juan Perucho
Die unsichtbaren Männer

Niemand sah sie, wenn sie auf die Straße gingen, sie waren nämlich vollkommen unsichtbar. Der mit dem Laufburschengesicht lachte laut heraus und versetzte so die Leute in stummes Erstaunen. Der andere, der mit dem vergeistigten Antlitz, tüftelte hinterlistig geheimnisvolle Verbrechen aus.

Alle Kinospäße und Zaubertricks waren schon erschöpft: einen Hund fliegen lassen, dem Barbier den Rasierpinsel wegnehmen, Verkehrstafeln auswechseln, ein leeres Fahrrad antreiben und so weiter.

Mit der Zeit wurden sie in der Nachbarschaft bekannt.

dad. El de la cara de palanquín se daba a conocer por sus guasas groseras y rudas. Le llamaban Artur. Al de la cara espiritual, le conocían porque, mientras planeaba el simulacro de alguna siniestra maquinación, recitaba versos de Ramón Llull. Le llamaban «Míster».

«Míster» y Artur comenzaron a hacerse invisibles cuando tenían veinte años. A los setenta, permanecía todavía alguna constancia de su existencia. A los ochenta, ninguna. El Ayuntamiento erigió una lápida en los jardines de la gran plaza, con una inscripción estricta: «A los hombres invisibles.»

Fernando Quiñones
La tumba giratoria

Por la razón que fuera, los dos novelistas y el ingeniero de sonido mataron a David y, a partir de aquel, el crimen perfecto es una realidad tan concreta como los mármoles de Paros o el Ministerio de Hacienda.

En los jardines próximos, el novelista más joven entretuvo al vigilante nocturno; el segundo descargó sobre David un golpe eficaz, único, y el ingeniero realizó el minucioso trabajo de encajar al muerto, a su sustancia última, previa y repetidamente incinerada, en un disco microsurco.

Hermosuras aparte, «La consagración de la primavera» no es una obra tan nítida como el «Cuarteto en sol» de Mozart o como la «Misa para pobres» de Satie. Así, los reiterados u ocasionales oyentes del disco nunca notaron nada en él, excepto un crítico musical (y autor de algunas módicas adaptaciones), que llegó a comentar cierta noche:

Der mit dem Laufburschengesicht machte sich mit seinen derben flegelhaften Späßen bemerkbar. Die Leute nannten ihn Arthur. Den mit dem vergeistigten Gesicht erkannten sie daran, daß er beim Aushecken irgendeiner hinterlistigen Machenschaft Verse von Ramón Llull rezitierte. Ihn nannten sie «Mister».

«Mister» und Arthur fingen an, sich unsichtbar zu machen, als sie zwanzig Jahre alt waren. Als sie siebzig waren, konnte man ihr Vorhandensein noch feststellen. Als sie achtzig waren, nicht mehr. Die Stadtverwaltung ließ in der Grünanlage des Hauptplatzes einen Gedenkstein errichten mit der knappen Inschrift: «Den unsichtbaren Männern.»

Fernando Quiñones
Das Drehgrab

Aus welchem Grund auch immer: die beiden Schriftsteller und der Toningenieur brachten David um, und seither ist das vollkommene Verbrechen etwas ebenso Wirkliches wie der Marmor von der Insel Paros oder das Finanzministerium.

In den nahen Parkanlagen ließ sich der Nachtwächter von dem jüngeren Schriftsteller ablenken; der andere streckte David mit einem einzigen wohlgezielten Hieb nieder; der Ingenieur übernahm die heikle Aufgabe, die nach mehrmaliger Einäscherung verbliebenen Reste der Leiche in das Material für seine Langspielplatte einzuarbeiten.

Abgesehen von seiner Schönheit ist der «Sacre du printemps» kein so reines Werk wie das Quartett in g-Moll von Mozart oder die «Messe pour les pauvres» von Satie. So merkten weder die regelmäßigen Hörer der Schallplatte noch gelegentliche Gäste jemals etwas Besonderes – außer einem Musikkritiker (und Autor einiger bescheidener Adaptationen), der sich eines Abends folgendermaßen dazu äußerte:

– Es una versión un tanto hinchada, con pasajes y acordes que no se dirían suyos ... O tal vez se trate de la grabación. Sí, seguramente es cosa de la grabación.

Entre el humo de los cigarrillos y la ajustada promiscuidad del cuartito, lleno por la conversación y la tertulia, las miradas de los tres culpables se buscaron furtivamente. Pero de allí no pasó el trance; el crítico aquel no regresó más y el cadáver continuó girando y girando, instalado en la música y disuelto en ella, periódica y enteramente recorrido por la aguja de zafiro, en su plana y ligera tumba circular.

Julio Ramón Ribeyro
El Dorado

La sabiduría de ese viejo líder campesino cusqueño que, al ser interrogado por ávidos aventureros sobre dónde puede estar el Paititi o, en otras palabras, El Dorado, responde: «Sólo encontrarás el Paititi cuando logres arrancar de tus ojos el resplandor de la codicia.»

Samuel Ros
Hallazgo

Hace exactamente seis días, al regresar a mi casa a altas horas de la madrugada, encontré en la glorieta de Rubén Darío un lindo zapato de mujer.

El zapato es de fina piel negra y tan nuevo que su suela apenas conserva la huella de haber pisado el pavimento. No hace falta decir que estoy lleno de ilusión.

Hace exactamente seis días que leo todos los

«Diese Darbietung ist irgendwie aufgeblasen, mit Passagen und Akkorden, die nicht dazu zu gehören scheinen ... Vielleicht liegt es an der Aufnahmetechnik. Ja, bestimmt ist die Aufnahmetechnik schuld daran.»

Verstohlen suchten sich die Blicke der drei Schuldigen im Zigarettenqualm und im Wirrwarr des gedrängt vollen kleinen Raumes, in dem die Gespräche durcheinanderschwirrten. Abgesehen davon hatte das Abenteuer keinerlei Folgen. Der Kritiker kam nie wieder. Eingearbeitet in die Musik und ganz darin aufgegangen, drehte sich die Leiche weiter und weiter in ihrem Scheibengrab, wenn die Saphirnadel von Zeit zu Zeit ihre Rillen durchfurchte.

Julio Ramón Ribeyro
El Dorado

Die Weisheit des alten Bauernführers in Cuzco, der auf die Frage habgieriger Abenteurer, wo denn das Paititi oder mit anderen Worten El Dorado sei, zur Antwort gibt: «Das Paititi wirst du nur finden, wenn du imstande bist, das Funkeln der Begehrlichkeit aus deinen Augen zu entfernen.»

Samuel Ros
Fund

Vor genau sechs Tagen war ich lange nach Mitternacht auf dem Heimweg; da fand ich in der Glorieta Rubén-Darío einen reizenden Damenschuh.

Der Schuh ist aus feinem schwarzem Leder und noch so neu, daß auf der Sohle kaum Trittspuren zu sehen sind. Überflüssig zu sagen, daß ich mir alle möglichen Vorstellungen mache.

Seit genau sechs Tagen lese ich alle Inserate in den

anuncios de la Prensa para devolver a la dueña que lo reclame su lindo zapato. Tampoco he dejado de imaginar con todo detalle las circunstancias en que pudo producirse tan extraña pérdida, y la imagen de la desconocida mujer.

El anuncio no aparece en la Prensa y mi tranquila vida comienza a complicarse de forma alarmante.

El zapato está sobre mi mesa, entre papeles, retratos y libros. Es tan bonito y tan sugerente, que se ha convertido en el objeto más importante de mi casa.

Poco a poco – comenzando por ponerle dentro un pie – he llegado a reconstruir la figura de la mujer, hasta asegurar que es rubia.

No he dado explicaciones sobre el zapato a mis familiares, pero sé que en torno a mi persona crece en silencio, como yedra, una tupida red de murmuraciones y de interpretaciones: «Siempre tan raro ...» «¿Por qué no habrá traído los dos, si cree que es un bonito adorno? ...»

Tan embebida iba ella mirando las estrellas – pienso yo –, que no advirtió que perdía su zapato. También pudo ser que la voz del amor – ¡oh, los malditos celos! – la sustrajesen a la realidad del mundo. Si se liberó voluntariamente de su zapato porque le hacía daño, ¡qué espíritu tan sincero y tan libre para no sufrirlo innecesariamente!

En fin, sea como fuese, yo necesito devolver el zapato a su dueña, para recobrar la paz. Por esto me decido a escribir estas líneas.

Si ella apareciese, si yo fuese príncipe y si no se hubieran producido los sucesos de una forma tan anónima por ambas partes, casi sería el cuento de la Cenicienta (con perdón de la dueña del lindo zapato de fina piel negra que está sobre mi mesa).

Zeitungen, um der Eigentümerin ihren Schuh zurückzugeben, wenn sie dazu auffordert. Natürlich male ich mir schon die ganze Zeit über in allen Einzelheiten aus, wie die unbekannte Frau wohl aussehe und wie sie ihren Schuh verloren haben könnte.

In der Zeitung erscheint kein Inserat, und mein ruhiges Leben droht allmählich in beängstigender Weise durcheinander zu geraten.

Der Schuh steht auf meinem Tisch zwischen Papieren, Porträts und Büchern. Er ist so schön und fantasieanregend, daß er zum wichtigsten Gegenstand in meinem Haushalt geworden ist. Zuerst habe ich in Gedanken versucht, einen Fuß in den Schuh hineinzustellen, und nach und nach ist es mir gelungen, die ganze Frauengestalt aufzubauen; ich kann sogar bezeugen, daß sie blond ist.

Meiner Familie gegenüber habe ich keine Erklärungen zum Schuh abgegeben, aber ich weiß, daß um mich herum still wie Efeu ein Geflecht von Gerüchten und Deutungen wuchert: «Er war schon immer so seltsam ...» «Warum hat er denn nicht beide heimgebracht, wenn er das einen schönen Zimmerschmuck findet? ...»

So verzückt war sie beim Anblick der Sterne, glaube ich, daß sie nicht einmal merkte, als sie einen Schuh verlor. Es ist auch möglich, daß der Ruf der Liebe – oh, verfluchte Eifersucht! – sie der irdischen Wirklichkeit entzog. Wenn sie aus freien Stücken sich des Schuhs entledigte, vielleicht weil er drückte: was für ein Beweis von Eigenständigkeit und Freiheit, nicht unnötig leiden zu wollen!

Nun, es sei, wie es wolle, ich muß den Schuh der Eigentümerin zurückgeben, um Frieden zu finden. Darum habe ich mich entschlossen, diese Zeilen zu schreiben.

Wenn sie nun auftauchte, wenn ich ein Königssohn wäre und sich nicht beiderseits alles so anonym abgespielt hätte, wäre es beinahe das Märchen vom Aschenputtel. (Die Besitzerin des schönen Schuhs aus feinem schwarzen Leder, der auf meinem Tisch steht, möge mir gütigst verzeihen ...)

Cincuenta y cinco años. Más de medio siglo. Medio siglo con un diez por ciento de comisión, valor que don Eulogio había calculado mil veces en su larga experiencia de agente comercial. Y si estaba lejos 1938 de 1993, a medio siglo de distancia más la décima parte, también estaba lejos este hospital de la ribera del Ebro, y el fusil, el casco, las cartucheras y las alpargatas de la silla de ruedas, la camisola de algodón y las medias antiembólicas.

Nos habían quemado los puentes, o los habíamos volado nosotros mismos, y pasamos el río en barquichuelas, en balsas de toneles y en pontones montados a toda prisa. La gente ardía y temblaba de entusiasmo, y si tenía miedo lo perdía bajo el sol canicular, sobre el río poderoso, contra los cañones del enemigo, más nutridos y seguros que los nuestros. Había que avanzar, aunque nadie sabía por qué, ni qué se iba a hacer al final del avance. Pasar a la otra orilla; disparar, defender posiciones insostenibles, desalojar a los fascistas de pueblos cuyos nombres resonaban como tambores y clarines épicos: Fayón, Mequinenza, Flix, Ascó.

Don Eulogio, por aquel entonces Eulogio Fernández a secas, no presentía que le esperaba medio siglo de tranquila mediocridad, que aquél iba a ser el punto culminante de su vida. Tenía veintitrés años, y no podía pensar en remesas de bacalao de Escocia, ni en recargos por seguro y flete, ni en licencias de exportación. La artillería alemana había acabado con su mejor amigo, y con cien hombres de su compañía. Tal vez hoy le tocaba a él caer de bruces en el barro, al saltar del pontón al talud.

Roberto Ruiz
Den Ebro überqueren

Fünfundfünfzig Jahre. Mehr als ein halbes Jahrhundert. Ein halbes Jahrhundert mit zehn Prozent Kommission – diesen Anteil hatte Don Eulogio in seiner langen Tätigkeit als Handelsreisender tausendmal ausgerechnet. In der Tat war das Jahr 1938 vom Jahr 1993 ein halbes Jahrhundert plus zehn Prozent entfernt, und ebenso weit weg war das Krankenhaus vom Ebro-Ufer, waren Gewehr, Helm, Patronentasche und Bastschuhe von Rollstuhl, Baumwollhemd und Stützstrümpfen.

Man hatte uns die Brücken abgebrannt, oder wir hatten sie selber gesprengt; so überquerten wir den Fluß in Gummibooten, auf Fässerflößen und eilig zusammengebauten Notstegen. Die Leute zitterten vor brennender Begeisterung, und wer Angst hatte, verlor sie in der glühenden Sonne auf dem mächtigen Fluß, im Widerstand gegen die feindlichen Kanonen, die besser bestückt und genauer waren als unsere.

Man mußte vorrücken, obwohl eigentlich niemand wußte, warum und was wir am Ende des Vormarsches tun sollten. Ans andere Ufer gelangen; schießen, unhaltbare Stellungen halten, Faschisten aus Dörfern vertreiben, deren Namen wie Trommeln und Trompeten aus Heldengedichten klangen: Fayón, Mequinenza, Flix, Ascó.

Don Eulogio, damals einfach Eulogio Fernández, ahnte nicht, daß ihm noch ein halbes Jahrhundert ruhiger Mittelmäßigkeit bevorstand, daß jenes Ereignis der Höhepunkt seines Lebens sein sollte. Er war dreiundzwanzig Jahre alt und konnte sich Gewinnmargen auf schottischem Stockfisch oder Zuschläge für Versicherung und Versandspesen oder Exportbewilligungen gar nicht vorstellen. Die deutsche Artillerie hatte seinen besten Freund umgelegt und hundert Mann aus seiner Kompanie. Vielleicht war heute er an der Reihe, vornüber in den Dreck zu fallen, wenn er vom Ponton auf die Böschung sprang.

El doctor Castañeda le había dicho que tenía un veinte por ciento de probabilidades. También la enfermedad cobraba comisión. Un veinte por ciento debería bastarle a un jubilado de setenta y ocho años con las coronarias tapadas y el miocardio marchito. Y a don Eulogio le bastaba. Le sobraba. Desde los cañonazos de Flix y Fatarella su máximo riesgo había sido que algún cliente dejara de pagarle.

Don Eulogio se adormiló un minuto. Cuando abrió los ojos, el doctor Castañeda estaba en el umbral. Detrás venían dos enfermeros empujando la camilla rodante.

– Las ocho, don Eulogio. ¿Está usted listo?

– Yo sí, doctor. Hoy cruzamos el Ebro.

José María Sánchez Silva
Carlitos

De ésta, viaticado, oleado y tranquilo, el señor Cipriano se las liaba. Se moría sano, de viejo. En el comedor se movían la señora Enriqueta, su mujer, y la señora Manuela, su vecina.

El viejo señor Cipriano abría de cuando en cuando el ojo izquierdo con mucho trabajo, levantando apenas el párpado, pesado como una teja.

Era gente humilde y sin hijos. El señor Cipriano había trabajado cincuenta años en una buena casa de pieles y curtidos de la calle de Alcalá y tocado la ocarina los mismos cincuenta en una orquesta de pulso y púa, de aficionados.

El piso era poca cosa, en una casa antigua de la calle Cervantes. Pagaban dos reales, claro, y tenían un balcón a la calle, con macetas. A la dere-

Doktor Castañeda hatte ihm gesagt, er habe zwanzig Prozent Wahrscheinlichkeit. Auch die Krankheit verlangte ihre Kommission. Zwanzig Prozent mußten einem achtundsiebzigjährigen Pensionär mit verkalkten Kranzgefäßen und müdem Herzen genügen.

Don Eulogio genügten sie; sie waren sogar mehr als genug. Seit dem Kanonendonner von Flix und Fatarella war es sein größtes Risiko gewesen, daß irgendein Kunde nicht zahlte.

Don Eulogio nickte einen Augenblick ein. Als er die Augen öffnete, stand Doktor Castañeda im Türrahmen. Hinter ihm schoben zwei Krankenwärter den Schragen herein.

«Es ist acht Uhr, Don Eulogio. Sind Sie bereit?»

«Ja, Herr Doktor, heute überqueren wir den Ebro.»

José María Sánchez Silva
Carlitos

Señor Ciprianos Zustand war ernst: er hatte die letzte Wegzehrung und die Sterbesakramente erhalten und war nun ganz ruhig. Er starb nicht an einer Krankheit, sondern einfach aus Altersgründen. Im Eßzimmer machten sich seine Frau Enriqueta und die Nachbarin Doña Manuela zu schaffen. Der alte Señor Cipriano öffnete hie und da das linke Auge, er hob aber kaum das Augenlid, das schwer wog wie ein Ziegelstein.

Sie waren einfache Leute, ein kinderloses Ehepaar. Señor Cipriano hatte fünfzig Jahre lang in einem guten Pelz- und Ledergeschäft an der Alcalá-Straße gearbeitet, und die gleichen fünfzig Jahre lang hatte er in einem Liebhaberorchester die Okarina gespielt.

Die Wohnung war bescheiden, in einem alten Haus an der Cervantes-Straße. Sie zahlten einen Pappenstiel dafür, klar, immerhin hatten sie ein Balkonfenster auf die Straße

cha, según se entraba, estaba la cocina, para lleger a la cual era preciso bajar un escalón; la señora Enriqueta, con los años, había tomado miedo a aquel escalón. A la izquierda estaba el comedor y, contigua, separada por una cortina, la alcoba. La vida se hacía en el comedor: allí estaba la radio, allí cosía la señora Enriqueta y hacía cigarrillos con máquina el señor Cipriano, o ensayaba con su ocarina. Había, también, un reloj alemán de cuco, con su pájaro que salía puntualmente de la graciosa casita con tejado a dos aguas. En la alcoba, muy oscura – sólo recibía luz del comedor –, estaba el gran lecho matrimonial. Siempre habían sido voluminosos y bajitos sus ocupantes. Sobre el gran lecho matrimonial, con algo de catafalco altísimo, pendía un cuadro de la Virgen del Perpetuo Socorro.

Siempre hicieron una vida metódica. Los domingos de buen tiempo y sin concierto, salían: la Bombilla, la Casa de Campo, la Dehesa de la Villa ... Ellos llevaban la comida y allí tomaban una mesa y pedían el vino, el café y la copita. Habían llegado a la perfección en cuanto a la distribución de las faenas; del reloj de cuco se ocupaba solamente el señor Cipriano, con cierto severo ritmo sacerdotal. Funcionaba maravillosamente desde hacía treinta años. Al pajarito, en particular, como hijo único de la casa, le adoraban.

Cuando la señora Enriqueta oyó un raro estertor en la alcoba, entró, encendió la luz y vio que el final se acercaba. Lo más de prisa que pudo, salió al descansillo y tocó en la puerta de al lado. Al instante, apareció la señora Manuela.

– Se muere.

Entraron. El señor Cipriano hacía grandes esfuerzos por abrir el ojo izquierdo. Cuando lo consiguió, miró como un pez de profundidad a su

hinaus mit Topfpflanzen. Rechts neben dem Eingang war die Küche; sie war eine Stufe tiefer, und mit den Jahren hatte Doña Enriqueta vor dieser Stufe Angst bekommen. Links war das Eßzimmer, und daneben, nur mit einem Vorhang abgetrennt, das Schlafzimmer. Das Leben spielte sich im Eßzimmer ab: dort stand das Radio, dort nähte Doña Enriqueta, dort drehte Señor Cipriano mit seinem Gerät die Zigaretten, oder er übte auf der Okarina. Dort hing auch die deutsche Kuckucksuhr mit dem Vögelchen, das pünklich aus seinem niedlichen Häuschen mit dem Giebeldach herauskam. Im dunklen Schlafzimmer – es erhielt einzig vom Eßzimmer her ein wenig Licht – stand das große Ehebett. Seine Benützer waren immer ziemlich umfangreich und klein gewesen. Über dem Ehebett mit dem katafalkartigen Aufbau hing ein Bild mit der Jungfrau Maria von der Ewigen Zuflucht.

Immer hatten sie ein geregeltes Leben geführt. Am Sonntag gingen sie bei schönem Wetter ins Grüne, wenn kein Konzert war: je nachdem zur Bombilla, zur Casa del Campo oder der Dehesa de la Villa ... Sie nahmen das Essen mit, setzten sich dort an einen Tisch und bestellten den Wein, den Kaffee und den Likör. In der Verteilung der Hausarbeiten hatten sie es zur Meisterschaft gebracht: für die Kuckucksuhr war allein Señor Cipriano zuständig; er oblag der Aufgabe mit strenger, sozusagen priesterlicher Regelmäßigkcit.Seit dreißig Jahren ging die Uhr wunderbar. Das Vögelchen als einziges Kind des Hauses verehrten sie ganz besonders.

Als Doña Enriqueta ein eigenartiges Röcheln aus dem Schlafzimmer hörte, ging sie hinein, zündete das Licht an und sah, daß das Ende nahtc. So schnell sie konnte, ging sie ins Treppenhaus hinaus und klopfte an der Tür der Nachbarin. Doña Manuela öffnete sogleich.

«Er stirbt.»

Sie gingen hinein. Señor Cipriano strengte sich sehr an, das linke Auge zu öffnen. Als es ihm gelang, schaute er wie ein Fisch aus tiefen Gewässern seine Frau und nachher

mujer y luego a la señora Manuela, sin mover la cabeza. Respiraba difícilmente y quería hablar.

– El cuco ... se engrasa en verano. Si ... – se ahogaba – si cambian las horas ... a la derecha hay una puertecita. – Se detuvo y el párpado se le bajó como un ceniciento sudario. Hizo un esfuerzo y añadió –: Se toca un alambre ... y da las horas seguidas ... hasta que ... coincidan con la de las ... las manecillas.

El señor Cipriano se murió. Todo estaba en orden. Su última voluntad fue que el reloj siguiese funcionando y el pajarito – querido niño – apareciendo puntual en la puerta de su casa. La señora Enriqueta lloraba porque su marido se había muerto y porque ahora pesaba sobre ella una tremenda, una ignorada responsabilidad: la educación de Carlitos.

Porque el cuco se llamaba Carlitos.

José María Sánchez Silva
Adán y Eva

Eva, recién nacida, estaba reclinada sobre Adán debajo de un árbol, porque llovía. El hombre, tan joven, dejaba correr las gotas por sus mejillas imberbes. Cerca de ellos, el agua se había ido depositando en una pequeña depresión de la tierra. Eva lo descubrió y dijo:

– Mira.

Miraron juntos y ella vio su propio rostro reflejado, pero como aún no se reconocía y amaba ya tanto al hombre, añadió, maravillada:

– ¡Eres tú!

Doña Manuela an, ohne den Kopf zu bewegen. Er atmete sehr mühsam und wollte etwas sagen.

«Die Kuckucksuhr ... muß man im Sommer schmieren. Wenn ...», er rang nach Luft, «wenn die Stundenschläge nicht stimmen ... rechts ist ein Türchen.» Er hielt inne, und das Augenlid senkte sich wie ein aschfarbiges Schweißtuch. Er raffte sich nochmals auf und fuhr weiter: «Man drückt auf den Draht ... und sie gibt die Stundenschläge an, ... solange, bis sie ... mit den Zeigern übereinstimmen.»

Señor Cipriano verschied. Es war alles in Ordnung. Sein letzter Wille war, daß die Uhr richtig ging und daß das Vögelchen – das liebe Kind – pünktlich an der Tür seines Häuschens erschien. Doña Eriqueta weinte, weil ihr Mann gestorben war und weil nun auf ihr eine ungeheuerliche, unbekannte Veranwortung lag: das Wohlergehen von Carlitos.

Der Kuckuck hieß nämlich Carlitos.

José María Sánchez Silva
Adam und Eva

Eva war soeben erschaffen worden und lehnte sich unter einem Baum an Adam, denn es regnete. Der Jüngling ließ die Tropfen über seine noch bartlosen Wangen rinnen. Nahe bei ihnen hatte sich das Wasser in einer kleinen Mulde zu einer Pfütze gesammelt. Eva entdeckte sie und sagte:

«Schau!»

Sie schauten beide, und sie sah ihr eigenes Gesicht gespiegelt, aber da sie sich noch nicht kannte und den Mann über alles liebte, fügte sie verwundert hinzu

«Das bist du!»

El mismo día que cumplió los veinte años, Alejandrito M. – un muchacho dócil y tierno, de grandes ojos azules y hermosos bucles rubios – comprendió finalmente que su mayor ambición en esta vida era convertirse en faisán. Se lo dijo a su madre, la Marquesa viuda de K., y la vieja dama, que era una mujer de mundo, acogió la confidencia con una sonrisa comprensiva. Alejandrito se lo contó a sus compañeros de la Facultad algunos días más tarde y las reacciones fueron muy distintas.

– Lo que pasa es que tú eres de la acera de enfrente – le soltó el más grosero de todos ellos –. Lo has sido siempre, pero hasta ahora no te habías dado cuenta.

Alejandrito no se tomó la molestia de replicar a aquel imbécil, que, además, tenía las orejas en forma de asa y la cara llena de granos. Se compró una gran enciclopedia de animales y se pasó las horas muertas leyendo una y otra vez el capítulo setenta y cuatro, que era precisamente el que estaba consagrado a los faisánidos. Supo entonces que los faisanes más hermosos eran precisamente el faisán plateado y el faisán dorado y que ambas especies vivían en los bosques de bambú del sur de China. En esa misma enciclopedia podía admirar también una fotografía a todo color y a doble página de un arrogante faisán dorado.

– ¿Y no le molesta al señor – le preguntó un día Mr. Richardson, su preceptor –, que esos faisanes a los que el señor tanto admira, pertenezcan, en definitiva, a la misma familia que las vulgares, estúpidas y ruidosas gallinas?

Alejandrito, que cuando se lo proponía tenía

Javier Tomeo
Der Fasan-Mann

Endlich, an dem Tag, da er zwanzig Jahre alt wurde, begriff Alejandrito M. – ein artiger sanfter Jüngling mit großen blauen Augen und wunderschönen blonden Locken – daß er in diesem Leben nichts sehnsüchtiger erstrebte, als sich in einen Fasan zu verwandeln.

Er teilte dies seiner Mutter mit, der verwitweten Marquesa von K., und die alte Dame, die eine Frau von Welt war, nahm die Erklärung mit verständnisvollem Lächeln entgegen. Alejandrito erzählte es einige Tage später auch seinen Kameraden von der Fakultät, aber deren Verhalten war ganz anders.

«In Tat und Wahrheit bist du eben einer vom anderen Ufer», warf ihm der Gröbste von allen ins Gesicht. «Du bist es schon immer gewesen, nur hast du es bis jetzt nicht gemerkt.»

Alejandrito fühlte sich nicht bemüßigt, dem Schwachkopf zu antworten, dessen Ohren übrigens abstanden wie Henkel an einem Topf und dessen Gesicht mit Pusteln übersät war. Er kaufte sich ein großes Tierlexikon und verbrachte alle seine freie Zeit damit, immer wieder das Kapitel vierundsiebzig zu lesen, genau dasjenige, worin von Fasanen die Rede war.

Dort lernte er, daß die schönsten Fasanen-Arten der Silberfasan und der Goldfasan sind, die beide in den Bambuswäldern des südlichen China vorkommen. In dem gleichen Lexikon konnte er auch eine doppelseitige farbige Abbildung eines stolzen Goldfasans bewundern.

«Stört es Sie nicht, junger Mann?» fragte ihn sein Präzeptor Mr. Richardson, «daß die Fasanen, die Sie so bewundern, letzten Endes der gleichen Gattung angehören wie die dummen, gackernden, ganz gewöhnlichen Haushühner?»

Alejandrito, der eine ganz giftige Zunge führen konnte,

una lengua de víbora, replicó a su preceptor diciéndole que tampoco él se avergonzaba de su condición de hombre, a pesar de que, dentro de esa categoría se incluyese gente con muy poco talento y, por añadidura (como su compañero de curso) con la cara llena de granos.

– La belleza de los faisanes plateados y de los faisanes dorados es tanta que nos hace olvidar la vulgaridad de cualquier otro pariente más o menos lejano – suspiró –. ¿Acaso ha visto usted, Mr. Richardson, alguna otra ave cuyas plumas tengan esos maravillosos reflejos multicolores?

Richardson estuvo a punto de decirle que otro faisánido, el pavo real, le parecía aún más hermoso que el faisán, pero prefirió quedarse callado para no complicar más las cosas. Fue el propio Richardson, por el contrario, quien le proporcionó a Alejandrito un par de preciosas plumas de faisán que a partir de aquel día el muchacho lució siempre sobre su cabeza.

De ese modo tan simple el futuro Marqués de K., a pesar del tono nacarado de su cutis, se convirtió en una especie de piel roja amable y distinguido que, para evitar las pullas y las burlas de mal gusto de los machistas, caminaba siempre con la barbilla levantada y el ceño ligeramente fruncido.

Lo malo es que, a pesar de la buena voluntad que le puso, jamás pudo convertirse en un verdadero faisán. Ni siquiera llegó a faisánido. Fue, solamente, un muchacho espigado que caminaba contoneándose, pero sin mover demasiado la cabeza para que sus dos maravillosas plumas no se le cayesen al suelo.

wenn es sein mußte, antwortete seinem Präzeptor mit dem Hinweis, dieser schäme sich ja auch nicht, ein menschliches Wesen zu sein, obgleich zu dieser Gattung auch Leute mit sehr geringen Fähigkeiten gehörten, zu allem Überfluß auch solche mit pustelübersätem Gesicht wie sein Studienkamerad.

«Die Schönheit der Silber- und Goldfasanen ist so überwältigend», seufzte er, «daß diese uns die Gewöhnlichkeit aller ihrer näheren und ferneren Verwandten vergessen läßt. Oder haben Sie vielleicht jemals einen andern Vogel mit ähnlich prächtigem schillerndem Gefieder gesehen, Mr. Richardson?»

Dem Mr. Richardson lag die Bemerkung auf der Zunge, er finde einen anderen Fasanenvogel, nämlich den Pfau, noch viel schöner als den Fasan, aber er zog es vor, sie für sich zu behalten, um die Angelegenheit nicht noch mehr zu verwickeln. Ganz im Gegenteil: Es war ausgerechnet Mr. Richardson, der Alejandrito zwei kostbare Fasanenfedern zukommen ließ, die der Jüngling von nun an ständig spazieren führte.

Auf so einfache Weise verwandelte sich der künftige Marques von K. trotz seinem perlmuttweißen Teint in eine Art liebenswürdig-vornehme Rothaut.

Um allen Sticheleien und geschmacklosen Macho-Witzen zuvorzukommen, war er stets darauf bedacht, sein Kinn hoch zu tragen und die Stirn leicht zu runzeln.

Zu seinem Unglück aber vermochte er sich trotz all seinem guten Willen nie in einen richtigen Fasan zu verwandeln. Er brachte es nicht einmal zu einem Fasaniden. Er war nichts weiter als ein hoch aufgeschossener junger Mann, der sich mit tänzelnden Schritten bewegte, aber seinen Kopf möglichst ruhig hielt, damit die prächtigen Federn nicht auf den Boden fielen.

Los dos esqueletos, con los huesos blanqueados por el sol, conversan sentados al socaire de la pared del cementerio.

Esqueleto A. Oye.

Esqueleto B. Dime.

Esqueleto A. Lo peor que podemos hacer es desanimarnos.

Esqueleto B. Sí, eso sería lo peor.

Esqueleto A. Vendrán tiempos mejores, estoy seguro de eso.

Esqueleto B. ¡Oh, desde luego! ¡Vendrán tiempos mejores!

Esqueleto A. Se trata de saber esperar.

Esqueleto B. Sí, se trata de eso.

Esqueleto A. Los árboles volverán a ser verdes.

Esqueleto B. Eso es: verdes. Y cantarán otra vez los pájaros.

Esqueleto A. ¡Ah, qué agradable será entonces vernos regresados a la carne!

Esqueleto B. ¿Crees que regresaremos también a la carne?

Esqueleto A. ¿Quién lo duda?

Esqueleto B. (Nostálgico.) Eso sería estupendo.

Esqueleto A. (Tras una breve pausa.) ¿Cómo te llamabas antes?

Esqueleto B. Juanito.

Esqueleto A. ¡Anda pues, Juanito! ¡Levanta el corazón!

Esqueleto B. (Mirando a través de sus costillas.) ¿Qué corazón?

Esqueleto A. (Reconsiderando la situación, con acento súbitamente desesperanzado.) La verdad es que hicimos mal muriéndonos.

Javier Tomeo
Die beiden Skelette

Die beiden Skelette mit den sonnengebleichten Knochen lehnen an der Friedhofmauer und unterhalten sich miteinander.

Skelett A: Hör mal.
Skelett B: Rede nur.
Skelett A: Wir können nichts Schlimmeres tun als Aufgeben.
Skelett B: Ja, das wäre das Schlimmste.
Skelett A: Es werden bessere Zeiten kommen, da bin ich sicher.
Skelett B: Ja, selbstverständlich, es werden bessere Zeiten kommen.
Skelett A: Man muß nur warten können.
Skelett B: Ja, darum geht es.
Skelett A: Die Bäume werden wieder grünen.
Skelett B: So ist es: sie werden grünen, und die Vögel werden wieder singen.
Skelett A: Ach, wie schön wird das sein, uns wieder mit Fleisch und Blut auferstanden zu sehen.
Skelett B: Glaubst du, daß wir mit Fleisch und Blut auferstehen werden?
Skelett A: Wer bezweifelt das?
Skelett B (erinnerungsselig): Das wäre wunderbar.
Skelett A (nach einer kleinen Pause): Wie hast du früher geheißen?
Skelett B: Juanito.
Skelett A: Wohlan denn, Juanito! Erhebe dein Herz in die Höhe!
Skelett B (schaut zwischen seinen Rippen hindurch): Was für ein Herz?
Skelett A (angesichts seines Zustandes plötzlich in mutlosem Ton): Eigentlich haben wir nicht gut daran getan, zu sterben.

Esqueleto B. Sí, hicimos mal.
Esqueleto A. Perdimos el corazón.
Esqueleto B. Sí, lo perdimos.
Esqueleto A. Eso fue, sin duda, lo peor.
Silencio. El Esqueleto B sopla a través de su propia
tibia y brota una suave melodía, que ondula apenas la cabeza de las ortigas. Al conjuro de la
música, las serpientes de hace cien años – apenas
un rosario de menudas placas óseas – tratan inú-
tilmente de erguirse como en los viejos tiempos
de la ponzoña fulminante.

Pedro Ugarte
Lecturas públicas

Doris leía un libro; quizás esa era la causa de su
brutal encogimiento sobre la mesa de aquel café,
quizás era lo que la hacía esconder la cabeza entre
los hombros y poner dos manos diminutas sobre
la nuca. Pensé que hay algo de envanecimiento,
algo de sucio exhibicionismo en la gente que lee
un libro en un lugar público. Yo, que había prac-
ticado esa costumbre durante muchos años, sabía
que era una forma velada de mostrar una distancia
insalvable ante los demás, una forma de decirles
que su existencia apenas merece consideración.

Pero descubrí que Doris (como me había ocu-
rrido a mí al leer en los cafés) no estaba verdaderamente concentrada en la lectura, y que el gesto
discretamente soberbio de su mirada fija sobre el
papel era sólo una pantomima.

Porque Doris, en realidad, estaba atenta a lo
que pasaba, y levantaba la cabeza con cada persona
que entraba en el café o con cada sonido que se
destacara en el murmullo. Me di cuenta de que

Skelett B: Nein, wir haben nicht gut daran getan.
Skelett A: Wir haben das Herz eingebüßt.
Skelett B: Ja, das haben wir eingebüßt.
Skelett A: Das war ohne Zweifel das Schlimmste.
Schweigen. Skelett B bläst zwischen seinen eigenen Unterschenkelknochen hindurch und erzeugt eine sanfte Melodie, die kaum die Spitzen der Brennesseln bewegt. Der Zauber der Melodie rührt die hundertjährigen Schlangen – sie sind kaum noch ein Rosenkranz von Wirbelscheibchen – und sie versuchen vergeblich, sich emporzuringeln wie in den alten Zeiten tödlichen Giftes.

Pedro Ugarte
Öffentlich lesen

Doris las in einem Buch; vielleicht war das der Grund, daß sie so unverschämt versunken dasaß; vielleicht verbarg sie deshalb den Kopf zwischen den Schultern, legte deshalb zwei winzige Händchen in den Nacken. Ich habe oft gedacht, daß es etwas mit Eitelkeit und unanständiger Zurschaustellung zu tun hat, wenn Leute in der Öffentlichkeit lesen. Ich selber hatte diese Gewohnheit jahrelang gehabt und wußte darum, daß es eine unauffällige Möglichkeit war, eine unüberwindliche Schranke vor den anderen aufzubauen, eine Möglichkeit, ihnen zu bekunden, daß man ihre Gegenwart keiner Beachtung wert findet.

Ich merkte, daß Doris gar nicht in ihre Lektüre vertieft war (wie ich es oft bei mir erlebt hatte, wenn ich in den Kaffeehäusern las). Vielmehr war der verkappte Hochmut, mit dem sie fest aufs Papier schaute, nichts als eine Pantomime.

Denn in der Tat achtete Doris auf alles, was rund herum geschah. Sie hob jedesmal den Kopf, wenn jemand hereinkam oder wenn ein Geräusch sich aus dem allgemeinen Gemurmel heraus abhob. Ich stellte fest, daß sie mit dem

para ella esa lectura ante el público, que quería parecer distante e impenetrable, era tan sólo una llamada al interés de los demás, una forma de pedir discretamente auxilio con la esperanza de que alguien respondiera, y que respondiera quien ya había pasado infinitas tardes de parecida soledad entregado a un libro sin sentido, donde uno apoya los ojos porque no tiene valor para dirigirlos a otro lugar.

Pedro Ugarte
Gaviotas

Ellos se han conocido hace algún tiempo y salen juntos a menudo. Ella es muy joven. Él es alto, amable y protector. Caminan por las calles, por las playas. Se esfuerzan en componer románticas escenas para el recuerdo. Hablan. Tratan de ser conmovedores. Ella explica que ama las gaviotas. Su blanco plumaje. Su lento bogar sobre los puentes. Él piensa que las gaviotas son seres repulsivos. Aves de ronco graznido que frecuentan la carroña. Él sabe que no lo dirá nunca y no se lo perdona.

Un día caminan junto a los acantilados. Ven un grupo de gaviotas agolpadas en el suelo. Increíblemente juntas. Ella dice que quiere ir a verlas. Le gustan tanto. Él niega confusamente. Mejor seguir adelante. Ella se desembaraza de su mano y corre hacia las gaviotas. Él no puede hacer ya nada. Las gaviotas huyen cuando la ven acercarse. Pero algunas, voraces, aún permanecen allí, picoteando el cadáver de su compañera muerta, mientras graznan con el pico enrojecido.

Ella grita. Retrocede. Regresa corriendo. Está llorando. Él la abraza. Te dije que no fueras. Se ale-

Lesen an der Öffentlichkeit sich zwar den Anschein un-
durchdringlicher Ferne geben wollte, aber in Wahrheit die
Leute um Aufmerksamkeit bat,

                    daß es eine Möglichkeit
war, unauffällig um Hilfe zu bitten, in der Hoffnung, daß
jemand antworten möge, der selbst schon ungezählte
Nachmittage in ähnlicher Einsamkeit mit einem sinnlosen
Buch verbracht hatte, in das man den Blick vergräbt, weil
man nicht den Mut hat, ihn anderswohin zu richten.

Pedro Ugarte
Möwen

Die beiden haben sich vor einiger Zeit kennengelernt und
gehen oft miteinander aus. Sie ist sehr jung. Er ist groß,
liebenswürdig und beschützend. Sie spazieren durch die
Straßen oder den Strand entlang. Sie bemühen sich, ro-
mantische Szenen als Erinnerung für später zu gestalten.
Sie reden. Sie versuchen, rührend zu sein. Sie erklärt ihm,
daß sie Möwen gern hat. Ihr weißes Gefieder. Ihr ruhiges
Schweben über den Brücken. Er findet, daß Möwen wider-
liche Geschöpfe sind. Vögel mit heiserem Gekrächze, die
sich beim Aas aufhalten. Er weiß, daß er ihr das nie sagen
und daß er es ihr nie verzeihen wird.

    Einmal spazieren sie miteinander auf der Steilküste. Sie
sehen einen Schwarm Möwen dicht beisammen auf dem
Boden. Unglaublich dicht gedrängt. Sie sagt, sie möchte
hingehen und schauen. Sie gefallen ihr so gut. Er lehnt ab,
irgendwie unsicher. Lieber weitergehen. Sie entwindet sich
seiner Hand und läuft zu den Möwen hin. Er kann nun
nichts mehr machen. Die Möwen fliegen davon, sowie sie
näherkommt. Aber einige besonders gefräßige picken weiter an ihrer toten Gefährtin herum und öffnen immer
wieder krächzend ihre blutverschmierten Schnäbel.

    Sie schreit; weicht zurück; läuft wieder zu ihm. Sie
weint. Er umarmt sie. Ich habe dir ja gesagt, du sollst nicht

jan. Ya no dicen nada. Él siempre lo había sabido. Pero tampoco podría decirlo ahora. Sienten que la mentira seguirá creciendo entre sus cuerpos y que sólo apretándose mucho lograrán vencerla. Quizás. Alguna vez. De alguna forma. Ella había amado las gaviotas.

Manuel Vargas
Ciudades

Volvía a la ciudad después de una corta estadía en las alturas. Llegué a una calle ancha, de cunetas empedradas; a los lados, paredes y abismos, al fondo niebla. Las puertas abiertas no parecían el ingreso a una casa sino a la noche que se acercaba; en una de esas puertas entreví un rostro arrugado.

– Dígame, ¿por dónde puedo bajar al centro?

Una mano en los cabellos, sorpresa.

– ¿Al centro de qué?

– Al centro, señor – dije elevando la voz –. ¿Estamos en la ciudad de La Paz, no?

– ¡Ah! – ahora vi las dos manos, el comienzo de los brazos y un poncho de infinitos colores oscuros –. Usted quiere ir a La Paz.

La sonrisa se perdió en la oscuridad. Pasos. Ruidos suaves de objetos movidos por las manos y otra vez la voz:

– Espere un ratito, le voy a acompañar – y salió el viejo de poncho y sombrero negro –. ¿Qué tal si vamos subiendo?

– ¿Subiendo? Yo quiero bajar.

– Claro – sonrió el viejo –. Pero primero hay que subir un poco.

Y me explicó que esa ciudad no era una sino

hingehen. Sie gehen weiter; sagen nichts mehr. Er hat es immer gewußt. Aber auch jetzt könnte er es ihr nicht sagen. Sie spüren, daß die Lüge zwischen ihren Körpern emporwachsen wird und nur besiegt werden kann, wenn sie sich innig aneinanderpressen. Vielleicht. Irgendwann einmal. Irgendwie. Sie hatte die Möwen geliebt.

Manuel Vargas
Städte

Nach kurzem Aufenthalt im Hochland war ich auf dem Rückweg in die Stadt. Ich gelangte zu einer breiten Straße mit gepflasterten Rinnen; auf beiden Seiten Wände und Abgründe, im Hintergrund Nebel. Die offenen Türen sahen nicht aus wie Eingänge in ein Haus, sondern ins nächtliche Dunkelwerden hinein; in einem der Eingänge nahm ich ein verrunzeltes Gesicht wahr.

«Können Sie mir sagen, wie ich ins Zentrum komme?»
Eine Hand im Haar, Überraschung:
«In was für ein Zentrum?»
«Ins Zentrum, Señor», sagte ich lauter: «Wir sind doch in der Stadt La Paz, oder nicht?»
«Aha!» Jetzt sah ich beide Hände, die Armansätze und einen wollenen Überwurf mit unzähligen dunklen Farben. «Sie wollen nach La Paz gelangen.»
Das Lächeln verschwand im Dunkel. Schritte. Leise Geräusche von verschobenen Gegenständen, und wieder die Stimme:
«Warten Sie einen Augenblick, ich begleite Sie», und heraus kam der Alte mit Poncho und schwarzem Hut: «Was meinen Sie, wenn wir ein Stück hinaufgehen?»
«Hinauf? Ich möchte doch hinunter.»
«Klar», lächelte der Alte. «Aber zuerst muß man ein Stück hinaufgehen.»
Er erklärte mir, daß diese Stadt nicht einheitlich, son-

muchas, y además un valle y un río, una chacra de papas, una mina de oro, un camino, un templo y un laberinto.

Caminamos desenredando callejones y abismos, paredes de roca, paredes de adobes, sueños olvidados. Mi guía se detuvo bajo un árbol chato y lleno de cáscaras como los que vi en las alturas. Abajo se veía una plaza y muchos autos.

– ¿A esta ciudad quería llegar? – escuché a mis espaldas.

– Sí – dije –, aquí es La Paz, gracias – y me volví para agradecerle.

A mi lado sólo estaba el pequeño arbolito, de cuyo tronco me agarré como si temiera hundirme en lo desconocido.

Juan Eduardo Zúñiga
El ángel

La mujer cruzaba la gran plaza en cuyo centro se alzaba la columna rematada por una enorme estatua, un ángel con alas desplegadas que parecía a punto de volar.

La mujer solitaria cada mañana ponía en él sus ojos admirados, temiendo que en las ráfagas de otoño o en las nieblas de frío, desapareciera y no le viese más, y aunque sabía que para el ángel ella tan sólo era un punto negro en la inmensidad de la plaza desierta, le rogaba la acompañase en el largo trayecto cotidiano.

Y fue tal su vehemencia que el ángel la escuchó y entendió su insistente llamada y un día descendió de la columna y fue hacia ella con pasos vacilantes. Ante aquella figura gigantesca con las alas abiertas, la mujer sintió nacer la esperanza de ser

dern ein Gebilde aus vielen Städten sei, außerdem gehörten ein Tal und ein Fluß dazu, ein Kartoffelfeld, eine Goldmine, ein Weg, eine Kirche und ein Labyrinth.

Wir gingen durch ein Gassengewirr, kamen an Abgründe, an Mauern aus Felsgestein oder aus getrockneten Lehmziegeln, zu vergessenen Träumen. Mein Führer stand unter einem gedrungenen Baum still; daran hingen noch Schalen von Früchten, wie ich sie im Hochland gesehen hatte. Tief unten sah man einen Platz mit vielen Autos.

«In diese Stadt wollen Sie?» hörte ich hinter mir.

«Ja», sagte ich: «Hier ist La Paz, danke!» und ich drehte mich, um mich erkenntlich zu zeigen.

Neben mir war nur das kleine Bäumchen, an dessen Stamm ich mich nun festhielt, als hätte ich Angst, ins Unbekannte hinabzutauchen.

Juan Eduardo Zúñiga
Der Engel

Die Frau ging über den großen Platz, in dessen Mitte eine Säule mit einer riesigen Statue stand, einem Engel mit ausgebreiteten Flügeln, so als wolle er sogleich fortfliegen.

Die einsame Frau richtete jeden Morgen ihre bewundernden Augen zu ihm empor, denn sie fürchtete immer, er entschwinde in den Herbststürmen oder in den Winternebeln, und sie könnte ihn dann nicht mehr sehen. Obwohl sie wußte, daß sie für den Engel nur ein schwarzer Punkt auf dem riesengroßen menschenleeren Platz war, so betete sie doch zu ihm, er möge sie auf dem langen Weg durch ihren Tag begleiten.

Ihre Inbrunst war so groß, daß der Engel ihre inständige Bitte erhörte und eines Tages von der Säule herabstieg und mit schwankenden Schritten auf sie zukam. Angesichts der Riesengestalt mit den ausgebreiteten Flügeln spürte die Frau ihre Hoffnung auf Erhörung aufkeimen,

correspondida pero al acercarse el ángel, vio que tenía los ojos vacíos.

Aun así, ella le preguntó: – ¿Vienes conmigo? –, pero el ángel titubeaba, no respondió y poco después volvió a su lugar en lo alto de la columna.

Se quebró e fugaz proyecto de amor: ella sintió que terminaba su vida y estuvo a punto de hundirse en la tierra al comprender que no había sido mirada, que el ángel no vio nunca su gesto enamorado. Pero pensó en el deber del trabajo y en el camino que la esperaba recorrer como cada día y se resignó a seguir adelante. Ya nunca más buscaría el amor, ni el ángel bajaría al suelo.

Los solitarios cruzan la inmensa plaza pero ninguno hacia él levanta su mirada; saben que el ángel que está allí es ciego, un ángel solitario como ellos.

Juan Eduardo Zúñiga
El jugador

Sonaban las once y media de la noche y entró en la casa de la vieja condesa. Sin ser visto atravesó el vestíbulo silencioso, apenas alumbrado, y no le fue difícil descubrir en el piso primero la escalera que conducía a la habitación donde le esperaba la joven. Empujó la puerta y ella estaba allí, sonriente, con las mejillas encendidas y las manos juntas, quizá asustada. Era una primera cita de amor y aguardaba, ilusionada, oír las mismas palabras que el pretendiente le escribía en sus cartas.

Dio dos pasos hacia la muchacha, alzó las manos y en vez de acariciarla se las puso en el cuello y apretó con toda su fuerza. Ella se debatió sin poder desasirse y, a los pocos minutos, él la dejó

aber als der Engel näher kam, sah sie, daß seine Augen hohl waren.

Trotzdem fragte sie ihn: «Kommst du mit mir?» Der Engel zögerte, antwortete nicht und stand kurz darauf wieder auf seinem Platz auf der Säule.

Zunichte und verflogen war das Vorhaben ihrer Liebe: Sie spürte, daß ihr Leben zu Ende ging, und wäre am liebsten im Boden versunken, als ihr bewußt wurde, daß sie nie angeschaut worden war, daß der Engel die Liebe in ihren Gebärden nie gesehen hatte. Aber dann dachte sie an ihre Pflicht und an das Wegstück, das sie wie jeden Morgen vor sich hatte, und ergab sich in ihr Schicksal, weiterleben zu müssen. Nie mehr würde sie die Liebe suchen, nie mehr würde der Engel auf den Boden herabkommen.

Die einsamen Menschen gehen über den unermeßlich weiten Platz, aber keiner hebt seine Augen empor; sie wissen, daß der Engel dort oben blind ist, daß er ein einsamer Engel ist wie sie alle.

Juan Eduardo Zúñiga
Der Spieler

Es schlug soeben halb zwölf Uhr nachts, als er das Haus der alten Gräfin betrat. Ohne daß ihn jemand sah, ging er durch den stillen, kaum erhellten Vorraum, und es fiel ihm nicht schwer, im ersten Stock die Treppe zu dem Zimmer hinauf zu finden, wo ihn die junge Dame erwartete. Er öffnete die Tür – und da saß sie lächelnd, mit geröteten Wangen und gefalteten Händen, vielleicht erschrocken. Es war eine erste Liebesbegegnung, und sie erwartete voller Vorfreude, von ihrem Verehrer die gleichen Worte zu hören, die er ihr in seinen Briefen geschrieben hatte.

Er ging zwei Schritte auf das Mädchen zu und hob die Hände, aber anstatt sie zu streicheln, umschlang er ihren Hals und würgte sie mit aller Kraft. Sie wehrte sich, konnte sich aber nicht befreien. Nach wenigen Minuten

caer sin ruido al suelo y allí quedó con un rostro totalmente distinto.

Entonces, él buscó por todos sitios, abrió el armario y tomó sortijas y pulseras mas no encontró dinero. Luego bajó despacio, cruzó las habitaciones en penumbra y se alejó por la calle con pasos decididos.

A la noche siguiente se presentó en la casa del aristócrata donde había juego, tomó una carta y puso sobre ella no un fajo de billetes, como hacían los otros jugadores, sino un puñado de anillos y pulseras. Oyó una voz que anunciaba: «Reina de espadas». Su carta no era aquélla, y había perdido todo ... Al levantar la vista quedó aterrado: en el lugar del banquero estaba ella. Tenía la cara violácea, ojos en blanco y una extraña mueca en los labios; sobre la frente le caían mechones de pelo. Y vio que extendía su mano hacia las joyas, la mano, juvenil, suave y delicada, donde la noche anterior él debía haber depositado un beso.

Juan Eduardo Zúñiga
La rosa

Ante el estudiante, un coche pasó rápidamente pero él pudo entrever en su interior un bellísimo rostro femenino. Al día siguiente, a la misma hora, volvió a cruzar ante él y también atisbó la sombra clara del rostro entre los pliegues oscuros de un velo.

El estudiante se preguntó quién era. Esperó al otro día, atento en el borde de la acera, y vio avanzar el coche con su caballo al trote y esta vez distinguió mejor a la mujer de grandes ojos claros que posaron en él su mirada.

Cada día el estudiante aguardaba al coche, intri-

ließ er sie geräuschlos auf den Boden sinken, und sie blieb mit entstelltem Gesicht liegen.

Dann suchte er überall herum, öffnete den Schrank und raffte Fingerringe und Armbänder zusammen, fand aber kein Geld. Langsam ging er die Treppe hinunter, suchte seinen Weg durch die fast dunklen Räume und ging mit entschlossenen Schritten fort, die Straße hinab.

In der nächsten Nacht erschien er im Haus des Aristokraten, wo gespielt wurde. Er nahm eine Karte, legte aber nicht ein Bündel Banknoten darauf wie die andern Spieler, sondern eine Handvoll Fingerringe und Armbänder. Er hörte eine Stimme «Schwertdame» verkünden, es war aber nicht seine Karte, und er hatte alles verloren ... Als er die Augen hob, erstarrte er: auf dem Platz des Bankhalters saß sie. Ihr Gesicht war violett verfärbt, die Augen waren verdreht, der Mund zu einer seltsamen Grimasse verzogen; über die Stirn fielen Haarsträhnen. Er sah, wie sie die Hand nach dem Geschmeide ausstreckte – ihre junge weiche zarte Hand, auf die er am Abend zuvor einen Kuß hätte drücken sollen.

Juan Eduardo Zúniga
Die Rose

An dem Studenten fuhr ein schneller Wagen vorbei, aber er konnte im Innern undeutlich ein wunderschönes Frauengesicht erkennen. Am andern Tag fuhr der Wagen wieder zur gleichen Zeit vorbei, und wieder erspähte er hinter den dunklen Falten eines Schleiers die Umrisse des hellen Gesichts. Der Student fragte sich, wer das wohl war. Gespannt wartete er am folgenden Tag am Rand des Gehsteigs und sah den Wagen mit den trabenden Pferden heranfahren, und deutlicher unterscheidbar war diesmal das Gesicht der Frau mit den großen hellen Augen, die auf ihn gerichtet waren.

Von Hoffnung gepackt wartete der Student nun jeden

gado y presa de la esperanza: cada vez la mujer le parecía más bella. Y desde el fondo del coche le sonrió y él tembló de pasión y todo ya perdió importancia, clases y profesores: sólo esperaría aquella hora en la que el coche cruzaba ante su puerta.

Y al fin, vio lo que anhelaba: la mujer le saludó con un movimiento de la mano que apareció un instante a la altura de la boca sonriente, y entonces él siguió al coche, andando muy deprisa, yendo detrás por calles y plazas, sin perder de vista su caja bamboleante que se ocultaba al doblar una esquina y reaparecía al cruzar un puente.

Anduvo mucho tiempo y a veces sentía un gran cansancio, o bien, muy animoso, planeaba la conversación que sostendría con ella.

Le pareció que pasaba por los mismos sitios, las mismas avenidas con nieblas, con sol o lluvias, de día o de noche, pero él seguía obstinado, seguro de alcanzarla, indiferente a inviernos o veranos.

Tras un largo trayecto interminable, en un lejano barrio, el coche finalmente se detuvo y él se aproximó con pasos vacilantes y cansados aunque iba apoyado en un bastón. Con esfuerzo abrió la portezuela y dentro no había nadie.

Unicamente vio sobre el asiento de hule una rosa encarnada, húmeda y fresca. La cogió con su mano sarmentosa y aspiró el tenue aroma de la ilusión nunca conseguida.

Tag neugierig auf den Wagen: jedesmal kam ihm die Frau schöner vor. Aus dem Rücksitz des Wagens lächelte sie ihm zu, und er zitterte vor Leidenschaft, und alles andere verlor an Bedeutung, die Vorlesungen, die Professoren: er wartete nur auf den Augenblick, da der Wagen an seiner Haustür vorbeifuhr.

Endlich sah er, was er ersehnte: die Frau grüßte ihn mit der Hand, die sie kurz bis zur Höhe ihres lächelnden Mundes hob. Er ging eilenden Schrittes dem Wagen nach, folgte ihm durch Straßen und über Plätze, ohne den schaukelnden Kasten aus den Augen zu verlieren, der schon mal beim Abbiegen hinter einer Ecke verschwinden konnte, dann aber auf einer Brücke wieder auftauchte.

Er ging lange und spürte manchmal eine große Müdigkeit, aber wenn er über das Gespräch nachdachte, das er mit ihr zu führen hoffte, fühlte er sich wieder frisch und munter. Er hatte den Eindruck, er komme immer an denselben Orten vorbei, gehe durch dieselben Alleen bei Nebel, bei Sonne oder Regen, bei Tag oder Nacht. Unbeirrt folgte er dem Wagen und achtete nicht auf Sommer oder Winter, denn er war sicher, ihn einzuholen.

Nach einer endlos langen Fahrt hielt der Wagen endlich in einem weit entfernten Stadtviertel an. Mit müden unsicheren Schritten, obwohl er sich auf einen Stock stützte, trat er hinzu und öffnete mit Mühe den Verschlag. Aber drinnen war niemand.

Auf dem Wachstuchüberzug des Rücksitzes sah er eine taufrische rote Rose. Er nahm sie in seine runzlige Hand und sog den zarten Duft des nie erfüllten Wunschtraums ein.

Lizenzen durch Dr. Erna Brandenberger, St. Gallen. Für einige Erzählungen waren die Rechte-Inhaber nicht ausfindig zu machen. Frau Brandenberger und der Deutsche Taschenbuch Verlag bemühen sich weiter darum und sind für Hinweise dankbar.

Quellennachweis

Ciro Alegría (1909 Huamachuco – 1967 Lima?) «Leyenda de Tungurbao» aus «Relatos», Alianza Editorial, Madrid 1979

Eugenio Aguirre (geb. 1944 Mexico D. F.) «En el estanque» aus «Cosas de ángeles y otros cuentos», UNAM, México 1992

Enrique Anderson Imbert (geb. 1910 Córdoba/Argentina) «Siesta» aus «El talar del tiempo», Buenos Aires 1979; Copyright Ediciones Corregidor

Juan José Arreola (geb. 1918 Ciudad Guzmán/México) «Autrui», «Una de dos» aus «Confabulario personal», Bruguera, Barcelona 1980

Max Aub (1903 Paris – 1972 México D. F.) «Muerte» aus «Sala de espera», No. 2, Tezontle, México 1948, «El monte» aus «La verdadera historia de la muerte de Francisco Franco y otros cuentos», Libro Mex Editores, México D. F. 1960

Francisco Ayala (geb. 1906 Granada) «Sin literatura», «Otro pájaro azul», aus «El jardín de las delicias» Espasa-Calpe, Madrid 1978; «Mímesis, némesis» aus «Obra narrativa completa», Alianza Editorial, Madrid 1993

«Azorín» (José Martínez Ruiz, 1873 Monóvar/Alicante – 1963 Madrid) «El paraguas» aus «Cuentos», Afrodisio Aguado, Madrid 1956

Arturo Barea (1897 Badajoz – 1957 London) «En la Sierra» aus «Valor y miedo», José Esteban, Madrid 1980 (Erstausgabe Valencia 1938)

Mario Benedetti (geb. 1920 Montevidco/Uruguay) «Los bomberos» aus «Cuentos», Alianza Editorial, Madrid 1982

Miguel Bravo Tedín (geb. 1940 ? Buenos Aires ?) «El llamado de las montañas» aus «Cordobés, culo al revés», Buenos Aires 1991

Carlos Castañón Barrientos (geb. 1931 Provinz Chuquisaca/Bolivia) «Diálogo» aus «Prosas breves, diálogos», La Paz/Bolivia 1971

Camilo José Cela (geb. 1916 Iria-Flavia) «Marcos Jabalón, mozo enfermo . . .», «Las parejas que bogan en el estanque del Retiro» aus «Los viejos amigos» 2ª parte, Editorial Noguer, Barcelona 1961

Luis Cernuda (1902 Sevilla – 1963 México D.F.) «El maestro», «El piano» aus «Ocnos», Universidad Veracruzana, Xalapa, México 1963; «El indio» aus «Variaciones sobre tema mexicano», Editorial Porrúa, México D.F. 1952

José de la Cuadra (1903 – 41 Guayaquil/Ecuador) «Olor de cacao» aus «Hornos y Repisas», Editorial El Conejo, Quito 1985 (Erstausgabe «Hornos», Guayaquil 1932)

Rubén Darío (1867 Metapa/Nicaragua – 1916 León de Nicaragua) «La resurrección de la rosa» aus «Cuentos», Colección Austral Nº 880, Madrid 1948

Jorge Dávila Vázquez (geb. 1947 Cuenca/Ecuador) «Logroño» aus dem Manuskript des Autors 1993

Medardo Fraile (geb. 1925 Madrid) «Aclaración» aus dem Manuskript des Autors 1994

Eduardo Galeano (geb. 1940 Montevideo/Uruguay) «El miedo», «Celebración de la risa», «Llorar», «Nochebuena» aus «El libro de los abrazos», siglo veintiuno de españa editores, Madrid 1989

Pere Gimferrer (geb. 1943 Barcelona) «Turismo interior» aus Antonio Beneyto «Manifiesto español o Una antología de narradores», Editorial Marte, Barcelona 1973

Ramón Gómez de la Serna (1888 Madrid – 1963 Buenos Aires/Argentina) «El ladrón cauto» aus «Pequeños relatos ilustrados», Ediciones de la Torre, Madrid 1987; «La mano» aus «Fantasmagorías», Madrid 1932

Miguel Hernández (1910 Orihuela/Murcia – 1942 Alicante) «Muerto, dominical», «Chiquilla, popular» aus «Prosas líricas y aforismos», Ediciones de la Torre, Madrid 1986

Arturo del Hoyo (geb. 1917 Madrid) «El triste», «En la glorieta» aus «En la glorieta y en otros sitios», Aguilar, Madrid 1972

Juan Ramón Jiménez (1881 Moguer/Huelva – 1956 Puerto Rico) «Domingo de dos», «El rayito de sol» aus «Historias y cuentos» Bruguera, Barcelona 1979

Antonio Machado (1875 Sevilla – 1939 Collioure/Frankreich) «Don Nadie en la corte», «Mairena, examinador» aus «Juan de Mairena», Clásicos Castalia, Madrid 1971

Luis Mateo Díez (geb. 1942 León) «Sopa» aus «Fonseca», Revista de la Universidad de Salamanca, N° 4, 1990

Ana María Matute (geb. 1926 Barcelona) «Mar», «La niña que no estaba», «El niño del cazador» aus «Los niños tontos», Ediciones Arión, Madrid 1956

Antonio F. Molina (geb. 1927 Ciudad Real) «Al otro lado», «Eliminado», «Ida y vuelta» aus: Antonio Beneyto «Manifiesto español o Una antología de narradores», Editorial Marte, Barcelona 1973

Augusto Monterroso (geb. 1921 Guatemala) «La fe y las montañas», «Los otros seis» aus «La oveja negra y demás fábulas», México D. F. 1969

José Moreno Villa (1887 Málaga – 1955 México D. F.) «El perro» aus «Bestiario», Madrid 1985

Jaime Nisttahuz (geb. 1942 La Paz/Bolivia) «Epílogo para una historia» aus «Fábulas contra la oscuridad», La Paz 1984

Carlos Edmundo de Ory (geb. 1923 Cádiz) «Parábola del Papa» aus «Una exhibición peligrosa», Taurus Ediciones, Madrid 1964

Manuel Pacheco (geb. 1920 Badajoz/Extremadura) «El molinillo», «Las puertas» aus: Antonio Beneyto «Manifiesto español o Una antología de narradores», Editorial Marte, Barcelona 1973

Esteban Padrós de Palacios (geb. 1925 Barcelona) «La roca de Sísifo» aus «Los que regresan», Hierbaola Ediciones, Pamplona 1991

Edmundo Paz Soldán (geb. 1967 Cochabamba/Bolivia) «La fiesta» aus «Las máscaras de la nada», La Paz 1990

Antonio Pereira (geb. 1923 León) «Lenta es la luz ...», «El escalatorres», aus «Picassos en el desván», Narrativa Mondadori, Madrid 1991

Raúl Pérez (geb. 1941 Quito/Ecuador) «Zapatazo» aus «Ana, pelota humana», Círculo de Lectores, Bogotá/Colombia 1979

Cristina Peri Rossi (geb. 1941 Montevideo/Uruguay) «Indicios pánicos, número 12» aus «Indicios pánicos», Bruguera, Barcelona 1981

Juan Perucho (geb. 1920 Barcelona) «Los tordos», «El té», «Los hombres invisibles», aus «Cuentos», Alianza Editorial, Madrid 1986

Fernando Quiñones (geb. 1930 Cádiz) «La tumba giratoria» aus «La guerra, el mar y otros excesos», Barcelona 1966

Julio Ramón Ribeyro (geb. 1929 Lima/Perú) «El Dorado» aus «Prosas apátridas», Tusquets Editores, Barcelona 1975

Samuel Ros (1904 Valencia – 1945 Madrid) «Hallazgo» aus «Antología; 1923–44», Editora Nacional, Madrid 1948

Roberto Ruiz (geb. 1925 Madrid) «El cruce del Ebro» aus dem Manuskript des Autors 1993

José María Sánchez Silva (geb. 1911 Madrid) «Adán y Eva», «Carlitos» aus «Pesinoe y gente de tierra», Editora Nacional, Madrid 1964

Javier Tomeo (geb. 1931 Huesca) «El hombre faisán» aus «Zoopatías y zoofilías», Narrativa Mondadori, Madrid 1992; «Los dos esqueletos» aus «Historias mínimas», 1989

Pedro Ugarte (geb. 1963 Bilbao) «Lecturas públicas», «Gaviotas» aus «Noticia de tierras improbables», Ediciones Hierbaola, Pamplona 1993

Manuel Vargas (geb. 1952 Santa Cruz de la Sierra/Bolivia) «Ciudades» aus dem Manuskript des Autors 1993

Juan Eduardo Zúñiga (geb. 1921 Madrid) «El ángel», «El jugador», «La rosa» aus «Misterios de las noches y los días», Alfaguara Hispánica, Madrid 1992